방황의 기록－줄임버전

방황의 기록-줄임버전

발 행 | 2024년 01월 21일
저 자 | 구름위를걷는
펴낸이 | 한건희
펴낸곳 | 주식회사 부크크
출판사등록 | 2014.07.15.(제2014-16호)
주 소 | 서울특별시 금천구 가산디지털1로 119 SK트윈타워 A동 305호
전 화 | 1670-8316
이메일 | info@bookk.co.kr

ISBN | 979-11-410-6727-4

www.bookk.co.kr

방황의 기록
—줄임버전

구름위를걷는 지음

<이 책을 읽으시는 분께>

이 책은 제가 페이스북으로 소통한 글들을 묶은 <방황의 기록>(구름위를걷는 저)에서 너무 개인적인 글을 제외하고 나름대로 선별해서 다시 묶은 책입니다.
기존 책을 1/4정도로 줄였습니다.

최종 수정일: 2024년 11월

구름위를걷는: iamjiny@naver.com

2019.12.30

<나의 세계>

나의 세계라는 것...

예전에도 힘들었던 그때, 사람들한테 치이고 세상에 치이던 그때는 나의 세계라는 것이 있을 수 없었다.

나는 쉽게 허물어지고 뿌리째 흔들리는 존재였다.

굳건히 서있을 수 없었고 어떤 모습으로 서있어야 할지도 몰랐고 내가 누구인지조차 희미하게만 여겨졌다. 그래서 그때부터 배운 것이 인간은 나약하다였던 거다.

지금도 물론 힘들지만 적어도 평화와 고요를 얻어내어서 어느 정도 안정적으로 나의 세계를 쌓으려 노력하고 있다.

고요한 시간과 명상의 시간을 가져서 나 자신을 만나고 내안에 탄탄히 뿌리 내리는 것도 매일 연습하고 있다.

그러나 가끔 그런 순간들이 다시 돌아온다.

지금껏 쌓은 나의 세계가 또다시 허술한 것이 아니었나 하는.

내 존재가 모래성처럼 파도 한 번에 휩쓸려 가버릴 듯한 때가..

그러면 혼란스럽고 거북한 마음이 된다.

그동안 마음을 닦고 수행한 것들, 나를 알아가는 노력 등 내 세계 안에서 착실히 해온 모든 것들이 다 날아가 버리는 듯해서.

나는 아무래도 사회부적격자이기 때문에 이러는 것일까.

주로 혼자 있는 나는 나만을 상대하며 나만의 세계를 쌓으며 지낸다. 스스로와 갈등할 때도 있지만 결국엔 스스로를 이해해주는 방향으로 나아가고 나 자신을 알아가며 나름의 질서 안에서 문제없이 지낸다. 그 세계에서 나름 평안했는데 그 세계 밖을 나가 외부세계와 부딪히면 종종 마찰이 느껴지는 것이다.

그것은 나의 나와 타인의 나가 조화를 못 이루기 때문일까.

혼자 있을땐 괜찮았던 것이 세상과 부딪히면서 나를 잃고 나의 세계를 잃는 경험을 반복한다.

애써 쌓은 나의 세계가 깨어지고 내 존재가 온통 어지러워지고 헝클어지면 불분명한 혼란에 머리가 아파오지만 할 수 있는게 없다.

혼자 있는 시간을 통해서 다시 나의 세계를 회복할 뿐이다. 나도 세상 속에서 나를 펼쳐 보이고 싶은데, 지금은 세상 속에서 나를 잃기만 하는 거 같다.

언제쯤 세상과 조화를 이룰 수 있을까?
언제쯤 세상 속에서 내 모습 그대로 굳건하게 서있을 수 있을까

2019.12.31

<겨울에 피는 꽃>

겨울을 이겨내고 피는 꽃도 있지만
겨울에 피는 꽃도 있다네
겨울과 함께 피는 꽃
추위와 매서운 바람에 꽃봉오리를 여는 꽃도 있다네
추위와 매서운 바람이 삶의 전부인 꽃
그 고독과 추위를 열정적으로 노래하는 꽃도 있다네
"이봐, 겨울에 피는 꽃도 있어."
라고, 내가 지나갈 때마다
그 꽃이 온몸으로 내게 말을 건다네.

2020.01.24

<나의 별>

왜 내 세상은 나를 몰아세우는지
왜 내 마음은 이다지도 연약한지
이런 노래가 있다.
그 노래 지은 사람은
어떤 아픔이 있어서
그런 가사를 썼을까.
나만큼 혼란스러웠을까.
나만큼 나약함과 무력감을 절실히 느꼈을까.
엄살 수준 아닐까
나만큼 찐한 고통을 맛보았을까.
뭐, 그래.. 그렇게 고통스러우면 죽으면 되는 거 아닌가.
어째서 나는 죽지못해 사는 인간이 되었을까.
노래 제목처럼 '손을 잡아줘' 내 손을 좀 잡아줘.
내가 세상에 굴복당하지 않도록 한편에서
누가 내 손을 좀 잡아줘.
어느 행성으로 가던 길이었을까.
어쩌다 이 지구별에 불시착해
이 세상의 낯설음에 이토록 멀미를 하게 되었을까.
나 이 세상이 너무 낯설고 어지러워 가끔 눈을 감고
내가 떠나온 나의 별을 그리곤 해.
막연히 그 별을 그리워해.
눈을 감고 잠시라도 다녀오고 싶어.
따뜻하고 포근한 그곳을 잠시라도 느끼고 싶어.
어쩌다 그렇게 되었는지 이 행성에서 내가 맡은 배역이 너무나 어지러워.
사람들의 말소리가, 스쳐가는 모습이, 시선이, 행동이 너무나 싫어.
탈출하고 싶어.
나 혼자 이 행성에서 격하게 외로워.
어지러워 멀미가 나.
나 이 지구별에서 대책없이 힘들어.
나의 별로 돌아가고 싶어.

2020.08.08

<꽃들처럼>

저 나무나 꽃들처럼
그저 존재하는 것만으로
행복할 수 있다면

저 꽃들은 아마도 생각이나 두려움 그런게 없겠지
저 꽃들처럼 살고 싶어
생의 환희를 표현하고 있는
저 꽃들처럼 활짝 피어나고 싶어

저기 저 새들이 부러워
단지 지금 이 순간 생의 행복을
노래하고 있는 새들이
새들도 내가 모르는 뭔가를 알고 있는 듯해.
그저 이 순간을 노래할 줄 알잖아
혹시 저 새들은 내게 말을 걸고 있는 것은 아닐까.
행복에 대해 무언가 가르쳐주려는 게 아닐까.

저기 저 구름이 되고 싶어
아무런 목적 없이 흘러 다니는.
나도 유유자적 흘러 다니고 싶어

저기 저 개미들처럼 열심히
살 수 있다면 얼마나 좋을까.
생의 사명을 띠고 부지런히 움직이는.

2020.10.25
<사랑>

세상을 헤쳐나가는데 가장 힘이 되는 건 사랑..

생각하면 내 마음이 자꾸 흔들리고 흐트러지는 것도 든든한 사랑이 없기 때문이라는 생각이 든다.

사랑이 있으면 덜 흔들리고 어떤 역경에서도 꾸준히 나아갈수 있을 거라는 확신이 든다. 내게 가장 필요한 약이 무엇보다 사랑이라는 생각이 든다.

그리고 인생에서 깨달음을 추구하기도 하지만 그래도 인생에서 가장 필요한 것은 사랑이 아닐까라는 생각이 든다.

힘들던 시절에도 나는 항상 사랑에 목이 말랐다.

비가 오는 날이면 혼자 걷다가 누가 다가와 소리 없이 같이 우산을 씌워줬으면 하고 바라기도 했다.

부모님은 내게 그다지 관심을 기울이거나 내가 힘들던 것도 전혀 이해하지 못했고 도리어 외롭게만 했다.

오빠하고만 즐겁게 대화하고 내가 그때 어떤 처지에 놓여있나 전혀 알지 못하고 있는 부모님아래서 나는 참 외로웠고 답답했다. 그 시절 가장 필요한 것은 사랑이었다.

내 인생에서 유일하게 사랑받은 기억은 중학교 때 친구한테서 받은 사랑.

친구는 그랬다. 내 지저분한 신발끈도 고개 숙이고 매어주고, 편지지에는 사랑한다고 다정하게 말해주고.

우리가 같이 하교하던 길과 버스정류장에서 장난쳤던 기억들은 내가 힘들던 시절동안에 오래도록 추억되었다.

사랑이 필요한 그 시기에 사랑이 추억으로밖에 해소되지 못했던 거 같다.

세월이 많이 흘러 이젠 더 이상 그 친구를 추억하며 살지는 않지만 지금 다시 생각해보니 그때의 행복했던 기분이 생생하게 떠오르는 거 같기도 하다.

아마 죽을 때 내 삶을 되돌려보면 그 추억을 다시 생생하게 돌려볼 테고 아마 그 사랑의 감정만큼은 이 세상 떠날 때 가지고 가고 싶어할 것 같다.

오늘 다시 사랑에 목이 마른다.

내 인생에 사랑이 약이라는 생각이 들어서 간절히 사랑을 갈구한다.

그런데 어디서 사랑을 찾을까.

내가 좋아하는 그님이 나한테 와주면 좋겠지만 욕심인 거 같다.

순수하게 좋을 때도 있지만 때로는 사는 게 힘이 들어서 그저 욕심이기도 했다.

아무것도 가진 것 없는데 한 사람은 내가 소유했으면 싶기도 하고.

하지만 어디까지나 혼자 생각하고 또 혼자 마음 접곤 한다.

갑자기 그 친구가 다시 떠오른다.

친구에게서 사랑받았던 기억은 오늘 이렇게 외로운 이순간의 나에게 아직도 힘이 되는 거 같다.

내 인생에서도 사랑받은 기억이 있어서 다행이다.

삭막한 기억만 가진 인생이 아니라서 정말 다행이다.

우리들의 행복한 웃음꽃이 피어나던 순간이 지금 생생하게 떠오른다.

2020.11.22

<외로움>

사람이 혼자 사는 건 좋지 않다고 하는데.

내 인생이 힘든 인생이긴 하지만 그래도 가장 힘든 건 외로움이다. 다른 건 면역이 조금 들었다고 할 수 있을지 몰라도 외로움은 전혀, 여전히 감당할 수가 없다.

외로움이 그저 사람들이 말하는 잠시 쓸쓸하다는 느낌이 아니다. 잠깐의 감상이 아니다. 도저히 못 견딜 것 같기에 절망감과 함께 오는 감정이다.

평소엔 굳이 대면하고 싶지 않기에 가슴 한켠에 꾹꾹 눌러놓지만 한번씩 이렇게 존재를 호소해오는 날이면 삶을 도저히 감당할 수 없을 것 같고 살아남을 자신도 없다.

분명히 어딘가로 가는 중이라고 조금만 더 힘내자, 라는 결심과 위로도 이런 외로움이 쳐들어오는 날에는 아무 소용이 없다.

'혼자서 세상에서 뭘 하겠다고..' 그런 생각이 드는 것이다

그럴때면 나는 그저 납작 엎드린 채 패배를 인정한다. 외로움에는 나는 아예 전의를 상실하기 때문이다.

아침에 산책을 할 때마다 만나는 아저씨들이 있다.

산책 마치면 꼭 벤치에 앉아 쉬었다가곤 하는데 그 벤치 옆에서 배드민턴을 치는 걸 구경하곤 한다. 그러다 언젠부턴가 인사도 하고 산책길에 만나면 동행도 한다. 그런 작은 만남도 내겐 소중하다. 알게 모르게 내 삶에 안정감을 준다. 이런 버팀목들에라도 기대어 내가 목표지점에 닿을 때까지 잘 나아갈 수 있었으면 좋겠다.

혼자라는 느낌은 좋지 않다.

외로움은 정말 싫다.

11월 17일쯤

<배움>

요즘은 아침에 7시전에 일어난다.

오래 누워있으면 우울해서 힘들다. 그래서 눈뜨고 우울한 기분이 들려할 때 바로 일어나려고 한다.

우울도 습관인가보다. 내가 그곳에 발을 안 딛으려고 노력하니 찾아오는 것이 뜸해졌다. 예전보다 안정을 누릴 수 있게 되었다.

그래도 조금 나아진 것일 뿐 아직 아침이 힘들다.

잠이 문득 깨었을 때 적막 속에 올라오는 별로 반갑지 않은 감정들.

아예 그런 감정이 안 들게 할수있다면 좋겠지만 어쩔 수 없다. 무의식의 틈새로 쳐들어오니. 할 수 있는 건 시달리는 시간을 줄이는 것. 그래서 밀려오는 괴로움 애써 무시하고 일어난다. 감정을 무시하려는 게 쉽지는 않다.

주로 아침이 힘들지만 낮시간에도 우울이 연장되거나, 여러가지 힘든 기분에 끌려다닐 때가 있다.

그러면 책을 읽는다.

특히 *작가님 에세이나 명상서적을 읽으며 삶에 대해 뭔가 배우면 마음이 비로소 편안해진다. 이 힘든 삶도 뭔가 배우고 추구

하기 위함이란 생각이 들고 다시 힘이 나곤 하는 것이다. 한순간 한순간 책을 읽으며 깨달음의 순간이 있고 그런 순간들이 즐겁다.

책을 읽으면 현재 압박을 느끼고 마음으로 쫓기고 있던 것들에서 잠시나마 거리를 떼어볼 수 있고 다른 각도로 볼 수 있는 여유도 생기고 때론 새록새록 희망도 품을 수 있게 된다.

숨통이 트이고 잠시나마 편안하게 숨쉴 수 있다.

어쩌면 '약'같다고 할까?

비록 내 삶을 근본적으로 해결해주지는 못하지만 당장은 효력을 발휘해 낫게 해 주곤 한다. 지금의 내게 책은 임시처방약인거 같다. 배움을 더 열심히 추구해서 삶의 의미도 찾고 언젠가 깨달음도 얻었으면 정말 좋겠다.

2020.11.30

< 어떤이가 신에게 보내는 편지>

신이여, 제가 할 말이 있습니다.

어째서 매번 당신을 부를 때마다 대답해주지 않으시는 겁니까?

혹은 말씀을 하시는데 제가 못 알아듣는 것입니까?

혹시나 당신이 존재하지 않는다고 하면 저의 인생은 그야말로 대책이 없는데..

당신은 어째서 제게 이런 삶을 주시고, 대책 없이 내버려두실 수 있습니까.

어디에다 말하면 당신이 들으시는 것입니까?

어떻게 하면 당신과 이야기를 나눌 수 있는 것입니까?

신이여, 제가 할 말이 있습니다. 할 말이 있습니다.

저의 삶을 보십시오. 온통 불안정하고 이 삶을 이끌어갈 자신감도 없으며 막막하기만 합니다.

삶이 숨 막히고 답답합니다.

모든 것이 엉망입니다

탈출구가 없습니다.

어떻게 살고 무엇을 하고 살아야할까요.

당신은 힘이 있지 않습니까?

이 모든 것 나아지게 할 수 있지 않습니까? 당신의 힘을 믿는데...

벌써 여러 번 당신을 부르고 기도도 하는데 어째서 응답하지 않으십니까.

거기 어디쯤에 당신이 계십니까?

어느 방향으로 불러야 당신께 닿는 겁니까?

당신이 내게 계획한 것은 도대체 무엇입니까

무엇이기에 응답도 해주지 않으면서 이렇게 막막한 곳에 저를 놓아 두셨나요?

저를 바짝 말려버리시려는 건 아니시겠죠?

당신의 뜻은 무엇입니까?

저를 과연 어디에 데려가려 하시나요.

그만, 저의 하소연에 귀를 기울여 주십시오.

저는 별로 삶을 헤쳐 나갈 의욕이 없으니까요.

당신이 제게 주신 삶을 헤쳐 나갈 힘이 별로 없으니까요.

저는 당신이 생각한 만큼 강하지 않은 것 같습니다.

저는 더는 견디기가 힘듭니다. 너무 힘듭니다.

부디 이제 그만 저를 이 막막한 바다에서 건져 주세요

2020.12.11
<가끔>

가끔 이런 생각이 듭니다.
안 되는 걸 하고 있는게 아닌가.
한 차례씩 바람이 불고나면
기다렸다 다시 일어나곤 하지만
과연 이런 일이 끝이 있을지 모르겠습니다.
끝없는 세상과의 싸움.
물론 싸움이라 생각하지 않고 마음 쓰지 않으려 하지만
그렇다고 일이 풀리는 건 전혀 아닙니다.

나는 가끔 길 잃은 존재 같습니다.
지구별 한켠에 내던져진
대책 없고 막막한 존재인 것만 같습니다.
나는 왜 여기 이렇게 있는가.
삶이 온통 엉망이고 헝클어진 채로.
왜 내게 이런 일들이 일어나는 것인가.
무질서하고 이유 없어 보이는 이런 일들이.
나도 의미 있는 존재라고 누가 말해주었으면 좋겠습니다.
살아갈 수 있다고 말해주었으면 좋겠습니다.

가끔 나는 영혼이 감옥에 갇힌 기분입니다.
나를 한정짓는 이들로 말미암아.
아무도 진정으로 나를 알지 못하면서
내 영혼을 침범하고
누구도 나의 고통을 알지도 이해하지도 못함에 대하여.
나는 종종 숨이 막힙니다
나는 왜 자유로울 수 없는가.
나는 왜 내 삶을 통제할 수 없는가.
도대체 무엇 때문에 내가 무얼 잘못해서
이런 삶을 살고 있는가.
이 삶의 의미가 도대체 무엇인가
포기할 용기가 없어 이 끝나지 않는 싸움을 계속할 뿐입니다
언제쯤 이 영혼이 자유롭게 숨을 쉴 수 있을까요.

가끔 나는 외롭습니다.
쓸쓸합니다. 못 견딜 것 같습니다. 아픕니다.
울고 싶습니다.
포기하고 싶습니다.
나는...

2021.01.28
<감정들>

어떤 감정들이 있다. 가끔씩 찾아오는.
예전보다는 덜 찾아오지만, 찾아와서는 내 마음의 방을 막무가내로 어지럽히는 것이 있다.
힘들다고 말한다. 괴롭다고 말한다.
정상적인 상황이 아니다. 이성이 즉시 나서서 감정과 대화를 시도한다. 구체적으로 뭐가 그리 힘드니? 말해봐.
분명하게 그 이유를 댈 때도 있지만 감정 그 자신조차 그저 막연하고 추상적으로 느낄 뿐 이유를 잘 모를 때가 많다.
힘들다. 죽고 싶다. 감정은 그 말만을 반

복한다. 막무가내로.

곤란한 상황이다. 그대로 두면 이 감정들이 나를 압도해서 삼켜버릴 것만 같다. 이성이 감정을 설득해보려고 이것저것 시도를 해보지만 별 소용이 없다. 이유를 모르기 때문에..

뭔가 근본적이고 심층적인 원인이 있을테지만 그것이 무엇인지, 어떻게 하면 이 감정을 설득하고 회복시킬 수 있을지 이성은 모르는 것이다.

그럴 땐 할 수 있는 것이 없다. 그저 납작 엎드려 패배감을 느끼며 그 감정이 식기를 기다릴 뿐이다.

특히 아침에 무의식중에 깨어났을 때, 혹은 낮에도 때때로, 찾아오는 감정이다. 그 감정과 대면하고 대화를 시도해보지만 대체로 아무 소용없이 끌려가고 만다. 수없이 만났지만 아직도 다스릴 수 없는 불편한 감정.

어떻게 하면 이 마음을 다스릴 수 있을까? 깨달으면 다스릴 수 있을까? 그것은 무의식적으로 일어나는 기분인데 그런 것을 인간이 다스릴 수 있는걸까? 그것은 과연 인간이 알고 통제할 수 있는 영역일까. 한낱 인간이.

어떤때는 또 별일 없이 기분이 좋아지거나 들뜰 때도 있다. 나쁜 기분보다야 다행으로 여기지만 그런 기분조차 이유를 모른채 그저 끌려갈 뿐이다. 이제는 좋든 나쁘든 마음을 통제하고 싶다는 생각을 한다. 중간에서서 어디로도 기울어지지 않고 싶다는.

언젠가 그렇게 마음에 끌려가는 대신 조금이나마 마음을 이해해서 마음과 편하게 있을 수 있는 날이 올까. 깨달음을 얻어서 내 삶과 마음을 통제할 수 있는 날이 올까?

잘 살아가는 중에도 언제든 예고도 없이 찾아와 느닷없이 힘들다고 죽고 싶다고 외쳐대는 연약한 나의 마음아.

토닥토닥.

2021.02.17

<나만의 방식, 나만의 속도>

어릴 때부터 시간이 오래 걸렸다.

시험을 치면 앞 뒷장 중 앞장밖에 못 풀었다.

그래서 잘해봐야 50점밖에 못 받아서 엄마가 주산학원에 보내줬다.

한두 달 정도 다녔는데 제법 잘해서 진도가 빨리빨리 나갔다.

선생님들은 감탄을 하며 나보고 "전생에 주산을 했니?"이런 말까지 할 정도였다. 그때 칭찬을 받고 뿌듯하던 게 아직도 기억이 난다. (사실 칭찬을 받은 기억이 별로 없어서.)

다음 단계로 넘어가려면 시험을 치는데 나는 그래서 자주자주 시험을 치곤했다. 거의 매주 시험을 친 거 같은데 확실히는 기억나지 않는다.

문득 시험을 치다가 주위를 둘러본 기억이 난다.

그때도 다른 학생들이 빠릿빠릿하게 주판알을 튕기는걸 보며 나는 속도가 느린 것에 위기감 같은 걸 느꼈던 게 기억난다.

어렸을 때부터 나는 뭐든 그렇게 오래 걸리고, 진득하게 바라보고, 오래 생각하는 편이었던 거 같다.

그런데 왜 그때는 그런 스스로가 잘못된 것인 양 느끼고 조급해 했을까.

한때는 그렇게 내가 무엇인가 잘못된 것만 같고 다른 사람들과 많이 다른 것만 같이 느껴져 조급하던 때가 있었다.

그래서 다른 사람과 비교해 '내가 뭔가 다른 것 같다' 라거나 '내게 문제가 있는 것 같다' 고 느껴지는 부분이 있으면 일부러 고쳐서 다른 사람들 흉내를 내보기도 했었다. 그러니까 억지로 다른 내가 되보려 해봤던 것이다.

그때는 다른 내가 될 수 있는 줄 알았다. 내 고유한 개성은 인정하지 않은 채.

그래서 어릴 때 한번은 다른 사람들처럼 속도를 빨리하기 위해 시험지를 대충 대충 훑는 방식으로 넘어가본 적도 있었다.

하지만 그렇게 하니 질문이 다 이해가 되지도 않았을 뿐더러 다음 문제로 그저 기계적으로 넘어가고 있는 나를 발견했다. 다른 사람 흉내 내는 것은 결국 이것도 저것도 아닌 일이었다. 나에게서 멀어지는 일이었다.

살아오면서 차츰 나는 나를 있는 그대로 인정해야하는 걸 알게 되었다. 원래의 나대로, 내 본성대로 살면 된다는 걸.

그때는 뭘 몰랐기 때문에 나 자신이 잘못됐다는 느낌을 어떻게 든 해결하고 싶어서 어긋난 시도들을 해보았던 거 같다.

지금도, 나는 왜 이런 걸까 싶은 경우가 있다. 내가 바라는 나의 모습에 못 미치는 부분들이 답답하고 불안하기도 하다.

하지만 이제는 그런 특징들을 있는 그대로 받아들여야 한다는 걸 안다. 나에 대해 다 만족하지 않아도 스스로와 부조화하기보단 나의 부족한 부분들을 포함해 나를 받아들이고 인정해줘야한다는 걸.

다른 사람들과 다른 고유한 나를 인정한 채, 정 고쳐야하는 것이 있다면 나를 잃지 않는 한도 내에서 노력해서 고치고 내가 잘하는 것이 있다면 나의 방식대로 밀고나가면서 능력 계발해야 하지 않을까.

지금 나는 하고 싶은 것이 있고 그걸 하기위한 능력과 역량이 부족해서 내가 과연 할 수 있을까 싶을 때가 많다. 또 다른 사람들에 비해 늦고 뒤처진 듯 느껴져 초조함이 느껴질 때도 있다.

하지만 중요한 것은, 자신의 속도대로, 자신의 방식대로 나아가면 되는 것이라고 나 자신에게 응원을 보낸다.

주산학원 때처럼, 주판알 튕기고 문제 푸는 속도는 느려도 오히려 전체 진도는 다른 사람들보다 훨씬 빨리 나갔었던 것을 기억하며.

2021.03.14

<나의 삶을 보면>

나의 삶을 돌아보며 느끼는 것은 하루하루가 갈등의 연속으로 이루어져 있다는 것.

우울하다가 언제 그랬냐는 듯 괜히 기분이 좋아지고

절망스럽다가 희망에 마음이 들뜨기도 하고

힘들어하다가도 어느 순간 나태에 빠져 자만하기도 한다.

이 감정들은 서로 끄트머리에 있는 듯한 감정들이지만 잘 보면 종이 한 장의 차이밖에 없는 듯이 느껴진다.

조금만 생각을 삐끗하면 부정적인 감정에

떨어져서 괴로움에 헤엄을 치지만 또 조그만 계기로 인해 희망에 마음이 벅차오르기도 하니까.

결국 이럴 수도 있고 저럴 수도 있는 것 같다.

내가 행복하거나 불행을 느끼고 있을 때 언제나 그 반대 감정이 바로 옆에서 대기하고 있는 것 아닐까

실제로 그런 거 같다.

오늘은 한껏 절망을 헤엄치다가 그 다음 날은 또 자만에 빠지고 주체못하게 붕뜨는 스스로를 가라앉히려 애를 쓰는 자신을 수없이 경험했다

그렇게 변덕을 부린다.

그 종이 한 장의 차이를 만드는 변수는 무엇일까. 나도 출처를 모르는 그저 막연한 기분이거나 외부환경에서 입력되는 어떤 데이터가 작용한 것이거나.

그 요인을 잘 알아서 내가 통제를 하고 좋은 쪽으로만 느끼며 살고 싶지만 누구도 그렇게 하는 것이 쉬운 일이 아니니, 전능하지 않은 존재로서 어쩔 수 없으니 그저 좋은 쪽 나쁜 쪽 다 경험해가며 결국 어디론가 향해가는 게 인생 아닌가 싶다.

어차피 이럴 수도 있고 저럴 수도 있는 삶이라면 기쁘거나 슬픈 순간이 올 때 그렇게 힘들어하거나 마음을 내어줄 필요 없지 않을까? 그저 파도가 왔다갔다하는 걸 지켜보듯 그런 가벼운 마음으로 바라볼 수 있다면...

그리고, 내 삶은 이랬다 저랬다 변덕으로 채워지지만 곰곰히 생각해보면 확실히 한가지만 있는 경우는 없는 거 같다.

절망 속에서도 한줄기 희망의 빛은 언제나 있는 거 같다. 빽빽한 숲속에도 햇살이 들어올 조그만 틈이 있듯.

못 견딜 것 같은 순간에도 조금 거리를 떼어보거나 각도를 틀어서 볼 틈이 있다. 그러면 다른 게 보이기도 한다.

아무리 그 틈이 작아도 그 틈을 무시할 수 없다. 빽빽한 숲속에서 그 조그만 틈으로 들어온 햇살이 순식간에 어둠을 몰아내고 어느새 찬란히 퍼져나가는 것을 보면.

중요한 것은 긍정적인 쪽으로 향하는 방향성 아닐까.

긍정적인 쪽과 부정적인 쪽 두 갈래의 길이 앞에 펼쳐졌을 때 긍정적인 쪽으로 나아가고자 하는 방향성.

절망과 희망 중 희망을 선택하고

두려움과 신뢰 중 신뢰를 선택하고

믿음과 의심 중 믿음을 선택하기.

오락가락하지만 결국은 긍정적인 쪽으로 향하는 방향성이 있다면 긍정적인 노력이 쌓여 결국 긍정적인 결과물이 만들어지지 않을까.

삶이 힘들다고 매일 투정부리지만 때로는 내 삶에 대해 근거 없는 확신이 들곤 한다. 신을 믿을 수 있을 것 같고 모든 것이 잘되어나갈 거라는 믿음이 생긴다. 신이 이유가 있어 나를 이렇게 만들었을 것이다. 지금은 그 뜻을 알 수 없지만 믿고 따라가다 보면 어딘가에 다다를 것이라고. 나에게 필요한 과정이기 때문에 내게 일어난 일이라는 생각이 든다.

긍정적인 쪽으로 향하려는 방향성으로, 웬만하면 긍정적인 감정들을 느끼고 살고 싶다. 절망감 고통 괴로움 두려움 그런 것보다 긍정적인 감정을 느낄 때 더 살만하다고 느끼니까

2021.03.22

<지구별 심부름>

나를 이 세상에 내놓을 때
이 지구별에 여행을 오기로 했을 때
신이 내게 단단히 일렀다.
너는 힘든 인생을 살 것이라고.
그러니 인내해야만 한다고.
그리고 또 그 힘든 시간이 오래 걸릴 것이라고 하셨다.
그래서 특히 그런 내게 어울릴 참을성과 인내심 같은 것을 주시며 세상에 내보내셨다.
어느 정도 단단한 마음과 깊이 생각하는 버릇 같은 것도 주셨다.
재능 같은 것도 주었으면 더 좋았을 것을.
또 존재가 많이 아플 거라고 하셨다.
많은 갈등을 하고 외로울 거라고도 하셨다.
그것이 염려돼 조금이나 도움이 되라고 나와 같은 시공간에 많지 않은 몇몇 인연을 뿌려놓으셨다.
나 그래서 얼떨결에 이 지구별에 여행을 와서
내게 주어진 길 걷으면서
내가 누구인지 자문하기도 하고
타인과의 사이에서 갈등도 하고
인생의 숨겨진 의미를 찾으려고도 하는데
때로는 이 사막 같은 여행길이 못 견디겠어 가끔 하늘을 올려다보며 절규도 한다.
도대체 나는 누구이고
이 삶에서 무엇을 해야하는 건가요
잡힐 듯 잡히지 않는 희망으로 간신히 목을 축이고
신과 대화하려고도 한다.
나의 목적지는 어디이고 당신의 계획은 무엇인가요
때로는 의지할 곳이 아무데도 없는 것 같다.
나 이 세상에 내놓으실 때 또 하신 말씀은 없으셨을까?
나를 이 혹독한 세상에 내보내며 내게 맡기신 심부름은 무엇이었을까.
나 이 세상을 살며 무엇을 추구하라고 하신 것일까.
분명히 있었을 것 같은데 까먹고 기억이 나지 않아
오늘도 나는 방황하고 있습니다.
나 힘들고 지치면 어떻게 하라고도 분명 말씀 하셨을 거 같은데
기억이 나지 않아서 오늘도 나는 아파하고 있습니다

2021.05.24

<이불을>

이불을 덮어쓰고 누워서 천장을 바라보고 있었고 청승맞게 눈물도 한줄기 흘리고 있었다.

고등학교를 졸업하고 난 어떤 날이었다.

힘들던 고등학교시절이 끝나고 이제 본격적인 인생이 시작되는 그런 때에 나는 왜 그러고 있었을까. 공부할 정신도 없이 힘들어만 하면서 보낸 고등학교 3년이 끝난시점에 나는 누워서 천장을 바라보며 그 시간들을 돌아보고 있었다.

힘들었던 시간이 끝났지만 기쁘지도 않은 복잡한 심정을 느끼고 있었다. 내 인생 중 3년이란 짧지 않은 시간을 되돌아보는데 그 엉망으로 보낸 시간이 뭐랄까. ...어휘가 부족한지 표현할 말을 찾을 수가 없다.

그리고 그때 내 손에 쥐어진 건 겨우 전문대 합격증 하나였고 웬지 앞으로의 내 인생도 불안하게 느껴졌다. 내가 맞이할 앞으로의 시간은 다른 사람들처럼 인생의 절정기, 그런 게 아닌 거 같다는 느낌이 들었다.

거대한 힘이 내 인생에 휘몰아쳐서 거기에 무기력하게 휩쓸려 간 3년이었다. 그 힘이 나를 보통 사람들이 걷는 일반적인 길에서 벗어나게 했고 그 시간동안 나는 내 의지대로 삶을 살지 못하는 무기력밖에 배우지 못했다. 내 삶이 이미 내 삶이 아니었으며 그 힘이 또 나를 어디로 데려갈지 알지 못하고 있었다.

그때, 누워서 천장을 바라보며 했던 생각들이 떠오른다.

'나는 정말 노력할 수 없었을까.'

나를 휩쓴 거대한 힘을 거스르는 노력은 못해도 그 속에서 조금은 미래에 대해 준비하고 노력 할 여유조차 없었을까

힘들다는 이유로 앞으로의 인생까지 이렇게 미끄러지게 내버려둬야만 했을까.

다른 아이들이 열심히 미래를 위해 공부할 때 나는 그렇게 살수밖에 없었을까. 그렇게 무의미하게, 되돌아보면 아무것도 남는 것 없게...

나는 그때 아마, 지난 시간들을 돌아보면서, 과연 누구의 책임인지를 물어본 것 같다. 과연 나는 최선을 다했는지, 내게 책임이 없는지 스스로를 추궁해보고 싶었던 거 같다.

하지만 고개를 저었었다.

지금 생각하면 그때 상황을 바꾸기 위해 노력을 해볼 수도 있지 않았을까 라는 아쉬움도 들지만, 그때의 생각으로는 아무것도 할수 없었다고 느낀 것이고 아마도 그게 맞을 것이다.

나는 그때 거대한 힘 앞에 무릎을 꿇었던 것이다.

누가 내게 네 태도가 글러 먹었다, 니가 그러니까 그렇게 산다 할지 모르지만 나는 정말로 내 인생이 내게 달려있지 않은 거 같다. 더 큰 힘이 나를 움직이는 것 같다.

나를 비난하지도 않는다.

그 시절, 아무것도 하지 못했지만 나는 최선을 다해 그 시간들을 버텨냈으니. 그것으로 이미 벅찼다.

그리고, 그때의 그 패배감이 잘못된 것임을 이제는 안다.

지금의 나는 대학, 직업, 배우자 등 무엇하나 제대로 갖추지 못했지만 그런 이유로 내 인생이 패배라고 생각하지는 않는다.

보통사람들의 길에서 벗어났다고 해서 패배는 아닌 것이다.

모두에겐 자신의 길이 있고 각자의 삶의 의미가 있는 것이니까.

타인의 눈같은 건 무시한다.

그렇다고 내가 지금 나의 인생을 받아들이거나 나의 운명을 사랑하고 있지는 못하지만, 타인과는 다른 나만의 인생의 목적이 있을 것이라고 믿고 그 삶을 인내심을 가지고 살아가기로 한다.

2021.06.08

<그럴 때가>

그럴 때가 있습니다.

그만 다 포기하고 싶은.

힘이 다 빠지고 의욕이 하나도 없고 갑자기 내 앞에 놓인 삶이 너무나 못 견딜 듯

느껴지는 순간이 있습니다.

내가 살고 있는 이 생이 내게는 너무나 피곤해 이제 그만 쉬고 싶을 때가 있습니다.

살기위한 노력과 투쟁들이 지치고 이제 그만 휴식하고 싶은 생각밖에 없을 때가 있습니다.

무의미하게 생을 마감하지는 않으리라고 의지를 다지곤 했지만 또 어떤 때는 너무나 지쳐서 지금 이대로 나를 데려간대도 저항 없이 따라가리란 생각이 들 때가 있습니다.

아니 제발 나를 데려가줬으면 할 때가 있습니다.

다만 나 스스로 포기할 용기가 없어 그저 어쩌지 못하고 있습니다.

헝클어진 것들, 인생의 난제들을 감당하기 벅차 그만 달아나고 싶을 때가 있습니다.

도무지 내 인생에 출구는 보이지 않고 하루하루는 버티는데 불과하니 이것을 삶이라 할 수 있을까요

삶을 의미 있게 살아보려 하고 신념을 가지려 노력도 하지만 때로는 내가 걷는 길에 확신이 없습니다.

다른 사람들처럼 살지 못하는 내가 답답합니다.

때로는 삶은 본래 무의미한 것이 아닌가 하는 의심이 듭니다.

모든 게 다 호의적이지 않은데 변함없이 긍정적인 마음을 먹기란 쉽지 않습니다.

그만 기권하고 싶은 때가 있습니다.

그냥 다 집어치우고 싶을 때가 있습니다.

그냥 다 포기해버리고 싶을 때가 있습니다.

2021.09.20

<아 괴롭다>

"아, 싫다. 괴롭고 불안하구나"

"선남자여, 그대는 무엇이 그토록 싫고 괴롭단 말인가?

이곳에는 싫은 것도 괴로운 것도 없나니

정녕 평화롭고 안온하도다.

선남자여, 여기 와서 앉아라. 내 그대를 위해 법을 설하리라."

부처님, 저도 여기가 싫고 괴롭기가 야사 못지않습니다.

업장의 때가 잔뜩 끼어 혼돈스럽고 번뇌에 사로잡혀 괴롭기가 말로 표현할 수 없습니다.

저도 불러주십시오. 고달픈 이쪽 언덕에서 부처님 계신 그쪽 언덕으로 건너가고 싶습니다.

너무나 오랫동안 길을 잃고 헤매고 있습니다.

부처님 계신 그 안온하고 평화로운 곳으로 저를 인도해 주십시오.

부처님이 살아서 내 앞에 계시다면

부처님은 고통 받는 나에게 무슨 말씀을 해주실까.

이렇게 세상 속에서 앓고 있는 나에게 어떤 처방을 내려주실까.

산 정상에서 내려다보시면 내가 어디서 어떻게 헤매고 있는 지가 보이는 걸까.

나의 괴로움의 원인을 밝혀주실까.

해탈과 깨달음에 이를 수 있도록 내게 방법을 제시해주실까.

부처님은 나를 이해해 주실까.

이 세상에서 이렇게 고독한 내 마음을 이해해 주실까.

아무도 이해 못해서 괴로운 내 이 짙은 고독을 과연 이해해 주실까.

부처님은 자비하시다는데 나의 이 울고 싶은 마음을 보듬어주고 어루만져 주실까.

부처님은 6년 고행을 하셨는데

부처님의 고행과 나의 고행은 다른 걸까.

부처님은 몸이 고달팠지만 나는 마음이 고달픈데

부처님은 이런 마음 겪어보지 않으셨을 텐데

과연 부처님법으로 나의 병도 치유할 수 있을까.

나는 진리 추구를 한다고 하면서

너무나 자주 의욕을 잃고 우울감에 빠집니다.

이 길을 가기로 했으면 흔들림 없이 가야 하는데

부처님만큼 구도열정이 강하지 않아

열정의 자리는 종종 우울과 혼돈의 자리로 바뀌곤 합니다.

부처님도 그 길을 가시면서 삶에 회의를 느끼거나 갈등을 해보지 않으셨나요?

"니다이여, 내 손을 잡고 일어나거라"

너무나 오랫동안 혼돈 속에 헤매고 있습니다.

니다이 못지않게 세상오물을 뒤집어 쓴 제 손도 잡아주십시오.

제 손을 잡아주십시오.

2021.09.22

<미로찾기>

오늘도 문제를 풀어보려고 머리 싸매고 끙끙 앓고 있는 내 모습이 문득 애처롭다.

복잡한 미로 속에 던져져 있으니 일단은 출구를 찾을 수밖에.

이리저리 왔다갔다 헤매고 있는 내 모습.

어디 줄이 있어서 그걸 잡고 따라가며 출구를 찾을 수 있다면

아니면 힌트가 미로 여기저기에 배치되있으면.

아니면 위에서 누가 내려다보고 왼쪽 오른쪽 이렇게 안내해주면 좋을 텐데

문득 이런 것이 다 허무해 보인다.

마치 학창시절 수학문제 푸는 것처럼.

사회 나가면 다 쓸 일도 없을 수학문제.

내 수준에 너무 어렵고 그리고 나중에 별 필요도 없겠지.

내 지금 상황이 모든 사람이 겪는 정상적인 상황이 아니니까.

혼자 심각해 가지고 머리 싸매고 공부한다고 스트레스와 병에 걸리고.

이렇게 해서 보내는 시간들 남는 게 뭘까.

과연 이 시간들이 가치가 있고 의미가 있는걸까

어쩌겠는가. 이미 던져졌으니.

당장은 이 미로에서 탈출하는 것이 급한데.

한번 왔다 막힌 길은 벽에 표시를 하면서 다시 반복하지 않도록 하면서 길을 찾아나가야겠지.

미로 속에서 헤매는 내 심정은 어지럽고 머리가 터질 것 같다.

혹은 문에 맞는 열쇠 하나 찾기 위해 수십개나 되는 열쇠들을 대조해보면서 안 맞으면 조급해하고 답답해하는 듯.

사람이 이러다 미쳐버리는 게 아닌가하는 생각까지 든다.

어차피 나중에 깨어보면 다 한바탕 꿈일진데

머리아파하며 사고하고 심각하게 갈등하며 사는 것이

그때 가서는 얼마나 허무해질까.

그리고 어쩌면 미로는 생각보다 간단할지도 모른다.

복잡한 생각 때문에 길을 잃는 것인지도.

또 어려워 보이는 수학문제도 공식을 잘 대입해서 풀어보면 풀릴수 있듯 무언가 참고할 만한 것이 있을수 있을텐데.

혹은 잘 찍는 기술을 개발 할수도 있을텐데.

2021.09.27

<소통>

세상과의 '충돌'

그것은 세상과 나의 연결감이 상실됐다는 뜻이다.

그럴 때 우리는 세상으로부터 상처를 받거나 마음이 아플 수 있다. 더구나 어긋난 세상과의 대화방법을 찾아 갈등을 풀 수조차 없을 때 깊은 무력감과 고독에 빠진다.

그럴 때 나름대로 자신만의 방식으로 소통하고 마음을 환기시킬 창문을 찾는 것은 본능이다. 그렇지 않으면 내 안에서 갇혀 고립된 마음이 앓으며 병들어가기 때문이다. 마음이 숨을 쉴 수 있도록 창문을 열어주어야 한다.

충돌은 위기의식을 준다. 나와 세상 사이에 벽이 가로놓여있다는, 누구도 온전히 나를 이해 못한다는 답답함과, 그 통제하지 못하는 상황이 나를 삼켜버릴지도 모른다는 두려움.

아마도 처음 그런 느낌을 가져본건 정신과에 입원했을 때.

상담만 받아보자는 말에 속아 병원에 갔다가 폐쇄병동에 갇혀버렸을 때. 혼자 정신이 말짱한 채로 정신이 이상한 사람들 속에 섞여있다는 느낌은 공포였다. 여기선 아무하고도 소통되지 않을 것 같았다. 세상과의 연결이 끊긴 것 같았다. 다행히 며칠 지내보니 정신이 심하게 이상한 사람들은 없어서 안도했지만.

그때 병원 안에서 그랬던 것처럼 지금도 말도 안통하고 소통이 안되는 세상 속에 혼자 남겨진 듯한 느낌이 든다.

지금의 내 마음은 세상 속에서 원활히 소통되지 않고 있다.

내 마음과 다른이의 마음이, 서로가 서로에게 올바르게 자연스럽게 흘러가지 않는다. 중간에 뭔가가 있어 왜곡되고 뒤틀린다.

나는 누구와도 진정한 마음의 교류를 하지 못한 채 무수한 상처를 받으면서 세상 한켠에 고립된 채로, 혼자서, 조용히, 앓고 있다.

아무도 나를 진정으로 이해 못하면서 고통을 주고, 그리고 자신들이 고통을 준다는 것을 모른다는 사실이 나를 답답하게 한다.

그로인한 세상으로부터의 고립감과 점점 깊어가는 고독.

몸도 순환이 원활히 되지 않으면 병이 나듯 나의 마음도 세상 속에서 다른 사람들의 마음과 원활히 순환하지 못하면 병이 난다.

그래서 나도 답답한 마음을 환기시키기 위해 본능적으로 소통의 창문을 찾은 거 같다. 마음을 풀어내서 페이스북에 글도 적어보고 카페활동도 한다.

그렇게 함으로써 다시 사람사이의 연결을 가지고 안도감을 느낀다. 소수라도 친구가 있다는 느낌이, 그 작은 연결감이 큰 힘이 되는걸 깨달았다.

병원에 있었을 때나, 지금이나 이렇게 늘 답답한 심정을 느끼는 걸 보면 마치 고독은 내게 주어진 운명인 것만 같다.

이제는 꽤나 익숙한 숨 막히는 공기와 고독의 느낌.. 그리고 겨우 잡고 있는, 숨쉴 수 있는 소통의 창문.

세상이, 혹은 운명인지, 누가 마련해 준건지 모르겠지만 이런 고독한 시간, 그 시간동안은 나는 계속 고독해야만 할까.

언제까지 고독해야만 할까.

지쳐가도록 고독한 시간이 계속해서 주어지는데.

이 시간은 언제까지로 정해져 있는 걸까.

언제쯤 창문을 열고 상쾌한 공기를 한껏 호흡할수 있을까.

2021.10.05

<마음아>

마음아, 가끔 너를 이해하지 못할 때가 있다.

오랜 시간 너와 함께 했는데도 나는 너를 잘 모르겠다.

먼저 너는 쓸데없는 자만에 빠진다.

스스로도 잘날 것 하나 없다는 걸 잘 알고 있으면서

문득 어떤 날 너도 모르게 그런 착각이 올라오는 것이다.

그런 불편한 생각을 가라앉히기 위해 나는 또 너를 설득시킬 여러가지 생각들을 지어내야 한다.

내 마음아, 왜 그러는 것이니.

그리고 너는 변덕이 심하다.

자신 없고 의기소침함에 푹 파묻혀 힘들어하더니

또 어떤 때는 너무 들떠서 구름처럼 마음이 떠다니지 않나.

물론 슬프고 우울한 것보다 조금 들뜨는 것이 낫긴 하지만.

왜 그렇게 너는 통제가 안 되는 것이냐.

너는 또 마음에 안 드는 것이

세상에 관심이 없다는 둥 세상에 마음쓰지 않겠다는 둥 그래놓고

어떤 때는 너가 세상과 싸움을 한다고 여기고 때로 승리했다고 혼자 생각하지 않나.

참 유치하게도.

세상은 그렇게 쉽지 않은데 말이야.

너 그러는 걸 보면 에고를 비우는 것이 그렇게 어려운 것이구나 싶다.

가끔 너는 너무 어리석어 보인다.

너무 뻔하게 반응하니까.

그런데 또 한편 너는 뭔가 구체적으로 설명할 수 없는 것을 알고 있는 듯 신비롭게 보일 때도 있다.

본능적으로 중심을 잡으려하고 감을 잡는 모습을 볼 땐

믿어볼만하게 느껴지기도 한다.

너가 인도하는 데로 따라가면 될 것 같기도 해.

때로는 너를 감당하기 벅찰 때도 있다.

이리저리 나를 끌고 다니며 망나니 같은 생각들을 해댈 때는.

왜 그러는 것일까.

내 삶이 어지럽고 복잡해서 너도 그러는 것일까.

어지럽고 복잡한 너를 좀 단정히 하고 싶

다는 생각이 든다.

그리고 때로는 너가 너무 여리고 약해보여서
안쓰럽고 보호해줘야 할 것만 같다.
이 세상 살아가기에는 너가 너무 벅차 보인다

또 때로는 너가 느끼는 감정을 이해하기 위해
한참을 생각해봐야 할 때도 있다.
너는 참 어려운 친구이구나.

너가 하는 짓이 마음에 안 들때는
그런 모습이 외면하고 싶어져
너 제정신이냐는 비난을 스스로에게 퍼붓기도 하지만
그건 너를 다룰 방법이 좀체로 떠오르지 않아서이다.
때로는 너가 참 마음에 안들 때도 있고
이해가 안될 때도 있고 싫어질 때도 있지만
그래도 너는 나를 가장 잘 아는 친구가 아니냐
그러니 너를 조금 더 이해해보고 싶구나.

어쩌면 너는 어리석음과 지혜,
그 둘을 동시에 지니고 있는지도 모르겠구나.
그런 너와 잘 조화하기위해
때로는 너와 거리를 두는 노력을 하며
때로는 너를 믿으며
너와 친해져가야겠다.

2021.11.08
< 한 계 >

내가 한계를 느끼는 것은 세상이라는 단단한 벽에 부딪혀서만이 아니다. 분명히 조금씩 내 안의 안정감과 평안함을 찾아가고 있다고 느꼈는데 문득, 그런 것을 잃어버리고 또 다시 질투심과 열등감, 불안정하고 어지러운 마음 등이 일어나는 것을 발견할 때, 여전히 마음을 다스리지 못하고 스스로를 통제 못하는 나를 발견할 때, 마음에 들지도 않고 어제와 다를 바 없는 발전 없는 내 모습을 발견하고 느끼는 한계감이 더 큰 거 같다.

2021.11.16
<나그네>

나그네가 사막을 지나가고 있었습니다.
태양은 뜨겁고 이것저것 발에 채이며 걷고 있었습니다.
풍경은 변함이 없지만 꽤 오랫동안 걸은 것 같습니다.
길은 가도가도 끝이 없고 나그네의 마음을 위로해줄 것이 아무것도 나타나지 않습니다.
점점 나그네의 마음은 견딜 수 없이 지쳐갑니다.
그냥 이대로 이 사막에 뼈를 묻고 싶다는 생각도 했습니다.
그렇게 한 발 한 발 무의미하게 발걸음을 내딛고 있습니다.
그러다 그만 돌부리에 걸려 넘어졌습니다.
그리 크지도 않은 돌부리였습니다.
이 정도 돌부리는 지금까지 수도 없이 만났지만

나그네는 일어날 생각도 않고 한참을 앉아 있습니다.

단조로운 사막의 풍경을 그저 바라봅니다.

숨이 막힐 것 같은 공기에 바람 한점 불지 않습니다.

문득 지금까지 지나온 길이 다 떠오르고,

채이고 채인 넘어짐들이 모두 부질없게만 느껴집니다.

짓눌린 것들이 올라와 나그네의 마음이 울컥하고

삭막한 풍경들도 나그네의 쓸쓸함을 더합니다.

저 멀리 그곳엔 어쩌면 새 한 마리 날아가는 것도 같습니다.

나그네는 지금 그렇게 한참을 앉아 있습니다.

2021.12.15

<그 아이가 있었다>

그 아이가 살고 있었다. 버림받은 아이가.

아프다고 혼란스럽다고 외쳐댔다.

세상에 대한, 인생에 대한, 그리고 사람들에 대해 의문들을 제시했다.

세상은 왜 이리 삭막하냐고. 사람들은 왜 이리 이기적이냐고. 인생은 도대체 뭐냐고.

삶의 어두운 이면을 본 후 그것들을 도무지 떨치지 못하였기에.

그런 의문들을 나한테 풀라고 제시했다.

자신도 모르면서 왠지 풀어야만 한다고.

그리고 자기를 결코 잊지 말라고 했다.

그렇게 오래 아프고, 혼란스럽고, 괴로웠던 자기존재를 결코 잊거나 외면하지 말라고 했다.

시간이 흐름에 따라 서서히 그 아이를 잊어갔는데 한동안은 집요하게 자기를 잊지 말라고 해서 가슴이 아팠다.

그 아이를 생각하면 언제나 어지럽고 아픔과 괴로움과 두통 없이 떠오를 수 없다.

미안하지만 그 아이에게서 벗어나고 싶었다. 자유롭고 싶었다.

그러나 또 그럴 수가 없었다. 그 아이가 많이 아픈걸 알았기 때문이다. 그 아이를 잊는 게 미안했다. 그 아이의 숙제를 꼭 풀어줘야할 것만 같았다.

그 아이와 대화를 했다.

그냥 널 잊으면 안 되니? 이제 그만 다 잊고 싶은데..

그러면 그 아이는 너무 오랜 시간 아팠다고, 너마저 나를 잊으면 자기는 뭐가 되냐고 한다.

'난 도대체 뭐냐고. 그렇게 아팠던 나는 도대체 뭐냐고..'

그렇게 나의 과거의 한 모습은 마치 독립된 인격체처럼 내 안에 살아 있었다.

그 '나'에게 말한다.

난 지금 또다시 힘든 시간을 맞이했거든. 너의 고통과는 다른.

지금을 사는데도 충분히 많은 에너지가 들어.

너의 그 긴 시간의 아픔을 외면할 수는 없지만 너에게 할수 있는 방법이 아무것도 없다.

그 시절을 지워버린지 오래라고.

난 지금 또 다른 어려움에 맞닥드렸고

너의 일은 많이 안타깝지만 너의 고통에 대해 더 파고들어가서 헤쳐보았자 답은 나오지 않을거야. 헤집어 놓는데 불과할거야. 쓸모없는 짓이고 소용없는 짓이야.

너의 그 의문들을 숙제처럼 간직하다간

지금의 이 삶을 잘 살수가 없어.

무엇보다 지금 내가 해야할 것은 그게 아니거든. 따로 있거든.

악몽 속으로 더 깊이 들어 가는게 아니라 깨어나야 하는 거거든.

그래서 그만 양해를 구하고 너를 잊어야겠어.

어쩌면 내가 겪은 그런 시간이 다시 올지 모른다는 두려움 때문에 나는 너를 잊는 게 두려웠던 건지도 몰라.

미안해. 하지만 너의 고통에 대해 물고늘어지는 것보다 비워버리는 것이 정답인지도 몰라.

미안해. 아이야. 하지만 언젠가 너를 고통없이 떠올리는 날이 올거야

2021.12.16

<나의 에고>

나는 어릴 적부터 말을 잘 안 해서 친구도 별로 없었다.

그게 그래도 그렇게 될 것까진 아니었을 텐데 그 후로도 쭈욱 나는 말도 없고 친구도 없는 삶을 살게 되었다.

천성이 얌전한 건 아니다. 그렇다고 음울하다는 것도 썩 어울리지 않는다. 다만 말을 하고 싶지 않고 마음속에 뭔가 묵직한 게 나를 꾹 누르고 있는 느낌이랄까. 하도 말을 안하다보니 절로 얌전해진 거 같긴 하다. 하지만 내가 봐도 별난 구석이 있고 친한 친구와는 장난도 심하게 치곤 했다.

사람들은 내가 가만히 있으면 내게 뭐가 있는 줄 알기도 하는데 알고보면 아무것도 없어 실망하기도 한다.

말만 없는게 아니라 할줄 아는 것도 없고 말주변도 없고 음치고 악필이고 그리고 사회부적격자다.

왜 말을 안하냐고? 살다보니 사는 게 말이 막히는 일이라는 걸 깨달아서 그런 것 아닐까. 말없는 것이 이토록 익숙할 땐 내가 전생에 모우니 사두는 아니었을까 생각하기도 한다.

오해도 많이 산다.

누가 칭찬하면 보통 사람들은 겸양의 표현을 하지만 나는 그냥 가만히 있으니까.

그런 모습이 오만하게 여겨지는걸 아는데 그러든 말든 나는 가만 있곤 했다. 의사소통하고 대응할 필요를 못 느낀달까. 어차피 그런 것으로 서로의 간극을 줄일 수는 없다는 생각. 내 마음속엔 나눌 수 없는 깊은 아픔과 고독 같은 것이 있고 그것은 누구와도 나눌 수 없는 것이라고 생각한다.

그래서 그런 태도로 인해 스스로를 점점 더 고립시킨 것은 아닐까. 그렇게 마음속엔 점점 치유할 수 없는 고독이 쌓여갔다.

사실 진심으로 나를 이해해주고 내게 다가와주는 수고를 하는 사람도 없었다. 내가 마음을 활짝 열수 있을 만큼 진심으로 노크해주는 사람이 없었다.

그런 고독을 느낀 건 고등학생 때부터였다.

그때는 나를 싫어하는 애들도 많았다.

이해받지 못하는 존재였다. 지금도 그렇지만.

무표정하게 인상구기고 있으면 (힘들어서 저절로 그렇게 되었다) 나를 오해하고 다가오지 않았다.

내가 먼저 다가갔으면 되었겠지만 글쎄, 세상과의 큰 벽이 느껴졌고 그 벽은 사소한 행동으로 풀 수 없다고 생각했다.

처음엔 솔직히 노력을 해본 것 같다. 그러

다 점점 내가 손을 댈 수 없는 숙명의 문제라는 것을 깨달았던 거 같다.

그렇게 숙명의 파도를 타고 나는 고독해졌다.

벽이 있고, 오해를 받고, 나는 그 오해를 풀기보다 그냥 오해를 품도록 내버려두게 되었다. 그게 편하고 익숙해졌다.

내가 시계를 보다 고개를 돌리면 '시계를 째려보네' 이러는 애들에게 뭐라고 하겠는가.

지금도 그냥 무력하다. 벽을 사이에 두고 벽 너머 사람들에 대해 나는 아무것도 할 수 없다.

마찰과 갈등과 아픔이 있지만 내가 풀 수 없는 거대한 문제라서 감히 무엇도 하지 못하고 그냥 앓는다.

내가 느끼는 것은 온통 번뇌와 고독

이것이 에고의 감옥 아닐까.

때로 세상과의 갈등을 풀기위해 머리를 싸매고 진지하게 연구를 해보기도 하지만 답은 잘 나오지 않는다. 번민과 갈등만 깊어져간다. 에고의 감옥에 갇힌 스스로를 느낄 뿐이다. 그러고보면 이 갈등, 이 얽매임이 지긋지긋하고 제발 떨치고 싶다는 생각도 든다. 떨치고 자유로워지고 싶다고.

책에 '진아에게는 죄가 없다'고 한다.

필요한 것은 더 큰 자아와 하나되는 것이지 에고와 씨름하고 갈등하는 것이 아니라는 생각이 든다.

이 에고를 버리고 자유롭고 싶지만 에고를 버리는 것이 결코 쉬운 일은 아니다.

버려도 버려도 다시 돌아오니까. 지긋지긋할 때는 그저 내던지지만 미묘하게 남아서 다시 고개를 들고는 한다.

자의식을 하고 다시 세상에 얽매인다. 나는 늘 이랬다 저랬다 하며 이런 결심하나 지키지 못하나 그런 생각이 든다.

그저 살아가는 현실을 꿈처럼 보고, 모든 일을 개인적으로 받아들이지 않을 때 고통이 적다는 걸 발견해 가는 중이다.

어서 더 큰 자아, 진아를 깨달아 진정 자유롭고 싶다.

2021.12.22

<이해>

주위를 한번 둘러보면 그런 사람들이 보일지 모릅니다.

마음이 아픈 사람들, 버림받은 사람들, 세상과의 연결감을 잃고 힘들어하는 사람들.

몸이 아픈 사람은 쉽게 눈에 띄지만 마음이 아픈 사람들은 모르고 지나칠 수 있습니다. 그런 사람이 없는지 한번 둘러보세요

아무도 모르게 가슴에 쓰라림을 안고 있는 사람이 있을지 몰라요. 애써 보려하지 않으면 잘 보이지 않을거에요

한때는 사람들은 타인의 고통을 모르기 때문에 쉽게 상처를 준다고 생각했습니다. 그런데 그보다는, 사람들은 타인의 고통에 대해 관심이 없는 것은 아닐까요

그래서 알려는 노력조차 하지 않는 것은 아닐까요

타인을 이해하려는 것은 수고스럽기 때문에, 편견을 갖는 것이 이해하는 것보다 더 쉽기 때문에.

그래서 쉽게쉽게 상처를 주면서 자신들이 상처를 준다는 사실을 외면하고 있는 것은 아닐까요.

그런 사람이 있을 수 있어요. 누군가 세상 한켠에 소외되고 고립되어있는 사람이.
사람들과의 연결감을 잃고 아파하는 사람이.
누군가를 진정으로 이해 못하면서 함부로 대한적 없나요
아무 생각 없이 편견으로 상처를 준적 없나요
지금도 그 사람이 아파하고 있을 수 있습니다.

모른척 외면하고 지났던, 아무생각 없이 편견으로 대했던 한 사람의 슬픈 얼굴을 떠올려 보세요.
그 사람은 지금 고립되어 가슴을 치며 아파하고 있을지 몰라요.
당신의 아무 생각 없는 편견에 고통을 당하고 있을지 몰라요
궁지에 몰려 힘들어 하고 있을지 몰라요.
이해가 닿지 않는 곳에 앉아 쓸쓸해 할지 몰라요.
누군가 손잡아주기를 간절히 바라고 있을지 몰라요.

편견으로 함부로 대한 사람이 있다면 이제 이해하려는 노력을 한번 기울여보세요.
그리고 기본적인 것을 돌아보세요.
그 사람도 사랑이 고프고, 상처받으면 마음이 아프고, 혼자 있으면 외롭고, 죽음이 두렵고, 다른 사람들과 똑같다는 것.
그 사람이 나 일수 있다는 것을. 그것을 잊지 말아야 해요.
우리는 다르지 않으니까요.
그걸 아는 것만으로 다른 이에게 함부로 실수를 하지는 않을 거에요.

2021.12.31
<장애물 경기>

인생이 장애물 경기같이 가다가 서고 가다가 서고 해서 피로감이 대단하다. 끝없이 펼쳐진 넓은 길을 속도감을 즐기면서 쌩쌩 달리고만 싶은데. 늘 조금 걷다가 멈추고 다시 걷다가 또 금방 멈추게 되니 이게 뭔가. 좀체 무슨 일을 추진할 수도 밀고나갈 수도 속도감을 즐길 수도 없는 것이다.
물론 현실을 무시할 수 없고, 앞에 있는 장애물들을 잘 살펴서 넘어지지 않게 하는 것은 중요하지만 매번 그러느라 너무 지쳐 버렸다.
문제는 내 삶의 장애물들을 없앨 근본적인 해결방법이 없다는 것. 나는 그것에 대해 무기력하다는 것을 진작에 인정했다.
내가 할 수 있는 것은 매번 마주하는 그것을 무기력하게 맞이하고선 그저 마음을 다스리고 나쁜 기분에서 빠져나오도록 위안하는 것이 다이다. 언제까지 이렇게 시달려야 할까.
너무나 갑갑하다. 원치않은 삶에의 얽매임, 현실의 구속, 감옥에 갇힌 듯 질 낮은 삶. 멀리 달아날 수가 없다. 조금만 달아나려 해도 장애물이 내 발목을 붙잡아버리니. 혼란 같은 것을 마주하면 일단 생각해보기 위해 멈춰서고 마는 것이다.
무엇도 할수 없고 추진할 수도 없는 이

삶이 답답하다.

나는 매번 장애물을 만나면서 어떻게 하면 그것을 피할 수 있을까, 어떻게 하면 더 잘 달릴 수 있나하는 방법만을 생각할 뿐 하늘을 나는 방법은 모르는 거 같다. 하늘을 날게 되면 이리저리 장애물들을 피하려 애쓸 필요조차 없어질 텐데.. 하지만 어떻게 하면 하늘을 날수 있는지 모르겠다. 내게 날개가 있는지도 모르겠다.

만약 내가 장애물을 대면하여 이리저리 용쓰는 것을 만약 저 위에서 누군가 내려다보면 얼마나 우스워 보일까.

이렇게 집착하고 아등바등하는 것이 얼마나 우스워 보일까.

언젠가 이 모든 장애물들을 떨치고 차원을 넘어서서 자유로워지는 날이 있을까. 내가 그토록 바라는 그 날이.

새해에는 '발전'보다 '진화'하고 싶다

2022.02.22
<슬픔이라는 술>

술주정꾼이 되었다
외로워서 한잔
마음이 답답해서 한잔
삶이 벅차서 한잔
어제도 오늘도 술을 마시다
그만 술에 중독이 되어버렸다.
이제 거의 매일 술을 마시게 되었다
걷다가 넘어져서 한 잔
각오와 결심을 못 지켜서 한 잔
내가 너무 못나보여서 한 잔
삶이 막막하게 느껴져서 또 한잔
한 잔 한 잔 또 한잔
자꾸만 술을 들이켠다
이제는 습관처럼 쉽게쉽게 술에 취한다.
슬픔이라는 술, 쓸쓸함이라는 술
술에 취해 인생길을 비틀거리며 걷는다
어이, 좋구나. 취한다. 취한다.

2022.02.28
<삶을 부정하는 순간>

내게 어떤 게 제일 힘든지는 잘 모르겠지만 어떤 감정이 제일 곤란한가 묻는다면 질투심이라고 하겠다.

질투. 질투라는 말이 적절한지는 모르겠다. 부러움보다 강하고 함께 하기에 조금 곤란한 감정...

나 혼자 있을 땐 아무 문제없던 것이 타인의 삶과 마주치면서 나의 세계가 깨어지는 것이다. 더구나 탄탄하지 않은 세계라면 타인의 삶과 마주치면서 여지없이 박살이 난다. 그리고 나의 세계에 대한 확신이 흐려진다. 그런 순간들이 곤란하다. 불편하다.

꼭 타인이 나보다 잘라서 나의 세계가 깨어지는 것은 아닌 거 같다. 그보다는 잘랐든 못났든 내가 얼마나 확고하게 나의 세계를 쌓아가고 있었나, 나의 삶을 잘 이끌고 있었나에 좌우되는듯하다.

나름의 삶의 의미나 보람을 가지고 있는지도.

언젠가부터 타인이 잘 사는 모습을 바라보면 내 마음이 편안하지 않다. 그 사람의 삶은 그 사람의 것이고 나의 삶은 나의 것이다, 라는 설득이 통하지 않는다.

타인의 삶을 보다 내 삶을 바라보면 나의 삶이 보잘것없는 것이 되어 부서져 내린다. 타인의 삶을 보다 내 삶을 보면 나의 삶을 부정하게 된다.

'나는 왜 이런 삶을 살고 있을까. 왜 이렇게밖에 살지 못할까.' 그런 생각을 하게 된다.

나름 조금씩 탄탄해진다 여겼는데 아직도 나의 삶을 잘 쌓아가지 못했구나, 라는 걸 매번 타인의 삶 앞에 초라하게 부서지면서 느낀다.

마음을 쓰고 싶지 않은데도 자꾸 마음을 쓰게 되고 도무지 다스려지지도 정리되지도 않은 채 마음 한구석에 머무르고 있는 감정. 치워버리고 싶지만 끈질기게 남아 존재를 호소하는 그 감정이 불편하다. 원치 않게 자꾸만 스스로의 삶을 부정하게 되는 순간이 곤란하다. 한편에서는 그래선 안 된다고 하지만, 나답게 살면 된다고 설득해보지만 공허한 울림일 뿐, 쉽게 치울 수 없는 갈등이 일어나는 나의 마음속.

그래서 아무것도 보고 싶지 않고 아무것도 듣고 싶지 않을 때가 있다.

내 삶을 부정하는 순간이 싫어서. 흔들리고 싶지 않은데 또 흔들리게 되니까.

타인의 삶을 마주하지 않아도 나 스스로가 나의 삶을 부정하는 순간도 있다.

너무 고단해서, 너무 외로워서, 도저히 받아들일 수 없는 일들이 허다해서, 너무 압박을 받아서, 타인이 내 존재를 부정해서.

그럴 때는 어떻게 해야 할지 모르겠다. 달아날 곳이 없는데 말이다. 할 수만 있다면 이 불만족스러운 삶을 그만두고 싶지만 그럴 수 없으니.

기운을 내서 다시 삶을 잘 살아야하는데, 내 삶을 일으켜 세워야하는데 나의 삶을 대하면 도무지 기운이 안 나는 순간이 종종 온다.

2022.05.20

<다짐>

괜찮겠지요.

지금은 여러가지 번뇌를 안고 있지만

저편 언덕으로 건너가면 그곳엔 평화와 안정이 있겠지요.

어서 빨리 그곳으로 다다르고 싶어요.

번뇌에 시달릴수록 어서 빨리 그곳에 다다르지 못함이 조급한 지경입니다.

어떻게 하면 그곳에 다다를까요

한번도 경험해보진 못했지만 때로 의심도 생기지만

나는 진정 그곳에 닿고 싶어요.

그곳엔 뭔가 다른 것이 있을 것 같아요.

여기까지 오는 동안 힘들었어요.

모든 시련과 고통은 그 길에 닿기 위한 과정이었을 테죠.

그것이 나의 길이라고 믿어요.

그리고 그곳에 꼭 다다르길 바라요.

내 인생은 이렇게 나를 휘두르는데

지금 나는 무기력하고 어찌할 방법이 없어요.

시간이 필요하다는 것도 아는데

그래도 이 시간이 너무 참기 힘드네요.

어쩌면 지금은 참 중요한 시간이에요.

매순간이 그렇긴 하지만

마치 중요한 고비같이 느껴지거든요

번뇌가 가득하긴 하지만 또 한편

조금만 고개를 돌리면 무언가 다른게 보일것만 같아요

이 순간을 잘 극복해야만 결국

넘어서서 전환을 맞을것만 같거든요

다 잘될 거라고 믿음을 가지고 마음을 다독입니다.

자꾸 돌아보지 않고 걸어가겠습니다.

부디 행운이 있어서 그곳에 닿기를.

그리고 되도록 빨리 닿을 수 있기를.

2022.06.06

<상처받은 영혼>

당신들이 나를 이해하지 못한다는 것을 압니다.

그래서 그렇게 상처를 주는 것이지요.

나는 당신들과 그렇게 다르지 않습니다.

나도 당신들과 같습니다.

나를 이해하지 못하면서

어떤 배려조차 하지 않고

편견으로 마음대로 대하지요

이해해 보려는 약간의 수고도 하지 않지요..

내게는 그렇게 해도 되는 줄 알지요.

함부로 해도 되는 줄 알지요.

참 쓸쓸합니다. 그것이 그리 어려운 일일까요

나도 당신들과 같은 사람이라는 것, 가슴이 아플 수 있고 감정을 느끼는 사람이라는 것,

그것을 아는 것이 그리 어려운가요?

내가 비록 쉽게 이해할 수 없는 사람이라 하더라도

그래서 이해하기보다 편견을 갖는 게 편한 존재라 하더라도

내게 상처를 주면 내가 상처를 입는다는 것쯤은 알지 않나요

나도 당신과 같습니다.

나도 영혼을 지켜야하고

나도 쉼이 필요합니다. 여유롭게 숨쉴 공간이 필요합니다.

나의 영역을 무단침입하면 안 된다는 것

나에게 무례하면 안 된다는 것

당신이 당신에게 그러하길 바라듯이 나도 그렇다는 것.

그것은 알아야하지 않나요

내가 당신일 수 있다고 왜 생각을 못합니까.

나는 왜 사람이 사람에게 상처를 주는지 이해할 수 없습니다.

세상은 그렇게 쓸쓸한 곳입니까?

왜 자꾸 내게 세상은 삭막하다고 일깨워주나요

왜 인간은 신뢰할 수 없다고 일깨워주나요

나는 정말이지 그렇게 믿고 싶지 않습니다.

나는 당신들의 편견에 따른 시선과 말의 폭력에

강요당하지 않겠습니다.

신경쓰지 않겠습니다.

내가 해야하는 것에만 집중하겠습니다.

당신들이 나를 이해하지 못한다는 것을 알기 때문입니다.

당신들은 그럴 가치가 없다는 걸 알기 때문입니다.

그리고 그건 당신들의 문제이기 때문입니다

2022.06.28
<상처와 고통>

상처와 고통이 있습니다. 내 운명에 배정된.
어찌할 바가 없어 그저 감내해야하는 숙명 같은 아픔입니다.
때로는 그냥 앞뒤 안 가리고 다 때려 부수고 뒤집어엎고만 싶습니다. 하지만 그래봤자 소용없다는 걸 잘 알죠.
그래서 그저 꾹꾹 눌러놓습니다. 마음 한켠에 애써 무시하며.
하지만 그렇게 쌓이는 답답함이 분명히 자리하고 있다는 걸 알고있죠.
그 상처와 고통을 그저 흘러보낼 수 있는 마음의 경지엔 아직 이르지 못했습니다. 언젠가는 할수 있을까요? 지금은 그저 마음을 다스리려 노력하고, 그러나 뜻대로 되지 않아 답답해하고, 그렇게 마음을 쓰는 자신을 자책하는 것이 나의 모습입니다.
그 상처와 고통과 함께한 시간이 이미 오래되었습니다.
당혹스러운 것은 매번 겪어도 나의 상처와 고통엔 익숙해지지 않는다는 것입니다.
여전히 그것들을 다룰 줄 모르겠다는 것입니다.
상처가 들어오면 매번 나의 평화와 안정은 깨어지고 또다시 무력하게 맞이합니다. 마음은 온통 진흙탕이 되고 그것을 헤집느라 시간을 쓰며 어느새 나 자신을 잃어버리죠. 그런 나를 문득 깨닫고 스스로를 되찾기 위해 나는 또 나름대로의 노력을 합니다. 이런 과정을 늘 반복하고 있죠.
상처같은 것은 딱 정리를 해서 머리 한켠에 치워놓고 무관심하면 좋을텐데. 매번 똑같은 반응을 하는 나를 보면, 꽤 오랫동안 그랬는데 아직도 극복 못하는걸 보면, 나는 영원히 이 상처를 다룰 수 없을 것만 같은 절망감을, 깊은 무력감을 느낍니다.

상처를 안 받도록 하면 되지, 자신을 그렇게도 지킬줄 모르냐 라는 말은 나에게 하지 마세요
당신은 나의 처지를 모르고 나는 피곤하게 설명하고 싶지 않습니다. 다만 누구에게나 피할수 없는 숙명처럼 감당해야할 일이 있다는 것은 알겠죠. 내게는 그런, 피할수 없어 숙명처럼 감당해야 할 아픔입니다. 무력해서 거기에 대해 아무것도 할 수 없는 아픔입니다
쏟아지는 비를 피할 길이 없어 그저 무기력하게 서서 맞고 있어야하는 아픔입니다.

하지만 희망을 품고 있습니다. 언젠가는 이 상처와 고통을 다룰 수 있는 날이 올 것이라는.
나는 어딘가로 향해 가는 길이고 그 길에 이 고통은 불가피한 과정일거라는 생각을 하고 있습니다.
지금은 이렇게 혼란스럽기만 하지만, 또 지금은 무지와 고통에 방황하지만, 전화위복이 되어 언젠가 이 고통이 축복이 될 날이 올 거라고 그렇게 믿고 싶습니다.

2022.07.11
<비가 온다>

비가 오면
그렇게 기분이 좋을 수가 없다

나는 가뭄에 바싹바싹 타들어가던 곡식인가 보다
메마른 내 가슴에 단비가 내리면
그렇게 기분이 좋을 수가 없다

이렇게 비가 오는 날이면
무작정 거리를 걷고 싶다.
비 내리는 창밖을
하염없이 바라만 봐도 좋다.

비가 오면
내 안에서 혼자 썩어가던 것들이
저 빗줄기 아래 얼굴을 내밀고
위로를 받는다
후두둑 후두둑
마음껏 토닥임을 받고 싶어
하염없이 저 빗줄기를 바라본다

비가 오면
내 모든 것이 흠뻑 젖어버리고 싶다.
아픔도 슬픔도 목욕을 하듯
다 씻겨 내려갈 수 있도록
하염없이 저 빗줄기 아래 서 있는다.

2022.07.27
<전생에서 온 편지>

편지가 한 통 도착했다.

집중력 없이 책장을 넘기다가 한숨을 쉬고는 '사는게 왜 이리 답답한가요'라고 중얼거렸다.

그때 문득 편지 한 통을 발견했다.(상상입니다.)

화사한 봄햇살같은 노란색 편지가 책갈피처럼 끼어있다.

펼쳐보니 이렇게 시작하고 있었다.

'하루하루 불안해하고 근심하며 불안정한 마음으로 살고있는 네가 안타까워서 편지를 쓰게 되었다'고.

누굴까? 책을 읽으면서도 통 불안정한 마음 때문에 집중을 못하고 있었는데 마침 이런 내 마음을 알고 있는 사람이 있다니.

편지에는 내가 느끼는 매일의 불안과 나의 마음 속 복잡한 상념들을 잘 알고 있다고 했다. 그리고 내가 곤란에 처해있으며 도움받을 곳이 아마 아무데도 없는 고독한 처지라는 걸 알기에 나에게 편지를 보내는 것이라 했다.

나의 고독한 처지를 알고 있다고?

나는 당혹스러웠다. 벽에 막혀 누구와도 소통되지 않는다는 생각에 아픈 가슴을 안고 살고 있는데 누가 그걸 알고 있단 말인가.

도대체 누굴까?

편지에는, 이때쯤 나에게 답을 해줘야 하기에, 이제 그럴 시간이 되었기에 편지를 하게 되었다고 말하고 있었다.

그리고 자신은, 전생의 나라고 말하고 있었다.

전생의 나라고? 나는 어리둥절해서 고개를 저었다.

어떻게 전생의 나가 내게 편지를 할 수 있을까? 그리고 내게 무슨 얘기를 하려고?

편지에서 전생의 나는 말했다.

내가 힘들어하는 걸 잘 알고 있다고. 고립감에 싸여 있고 외롭다는 것도 잘 안다고. 또 내가 보낸 지난 고통의 시간들도 잘 알고 있다고 했다. 그 고통의 시간들을 잘 넘기고 여기까지 온 것을 축하한다고 했다.

그러다 '마음이 많이 답답하지?' 하고 편지는 말했다. 그 말에 문득 눈물이 터졌다.

편지는 이어졌다.

지금 나는 너무나 지쳐있다고. 혼자서 사투하느라 무척이나 지쳐 포기하고 싶어한다고... 그래서 자신이라도 나서서 말을 해줘야했다고 했다.

확신을 주고 싶어서, 지치지 말라고, 힘을 내라고 말하고 싶어서. 이제 조금만 더 가면 된다는 것을 내게 말해주고 싶다고 했다.

그 말을 해주고 싶어서 전생부터 예정된 시간에 맞춰 나에게 편지를 하게 되었다고 한다.

그리고 말했다.

내게 예정된 고통의 시간이 거의 끝나간다는 것을, 그것을 나는 모르겠지만 자신은 알고 있다고 했다.

지금 나는 변화 없이 그저 오르락내리락 하는 듯이 보이지만 분명 능선을 오르는 중이라고. 이제 거의 다 온 셈이라고.

그리고 전생의 나는 내게 충고해 주었다.

조금 가벼워지라고. 지금 나는 너무 많은 생각을 하고 너무 애를 쓰고 사는데 그러면 지칠 수 있으니 될 수 있는대로 마음을 편안히 하라고. 조금 더 단순하게 생각하고 마음을 비우라고.

또다시 눈물이 흘렀다. 오랫동안 참았던 눈물이었다.

누가 뭐래도 다른데 신경 쓰지 말고 네 삶을 충실히 살라고 말했다.

나는 전생의 나에게 묻고 싶은 것이 생겼다.

나는 도대체 누구인지, 나는 왜 이렇게 살고 있는지.

편지에는 안 그래도 나의 의문들에 답을 해주기 위해 편지를 했다고 적혀 있었다.

전생의 나는 말하고 있었다.

내가 삶을 살며 혼란해하고 또 존재의 아픔을 느끼는 걸 잘 알고 있다고. 도무지 이유를 알 수 없어 힘들어하는 걸 안다고. 그러면서 말하길, 내게는 주어진 특별한 숙제가 있다고 했다.

전생의 내가 풀 삶의 숙제를 미처 다 마무리 짓지 못해 현생의 나에게 넘길 수밖에 없었다고.

그래서 미안하고 안타깝다고 말했다.

그리고 이번 생에 꼭 그 숙제를 풀기를 바란다고 했다.

차근차근 잘 풀어나가라고. 또다시 다음 생까지 숙제를 넘기지 말라고.

숙제라니, 내가 삶을 통해 이루어야할 숙제가 있단 말인가?

그 숙제가 무엇인지 나는 묻고 싶었다.

전생의 나는 말했다.

자신도 모른다고.

그것은 아마도 살면서 나의 삶을 통해서 실현하는 것이 아닐까라고. 우선은 어떻게든 지금을 살아가는 것이 숙제가 아닐까라고. 그러면 언젠가 어딘가에 도달해있는 모습을 발견할 것이라고.

내가 보낸 지난 시간들이 결코 무의미하지 않으리라 했다.

또 해주고 싶은 말이 있다고 했다.

너무 불안해하지 말라고. 나는 너무 불안정한 감정으로 살고있는데 그럴 필요 없다고. 보이지는 않아도 나를 보호해주고 지켜주는 존재들이 있으니 그것을 믿고 불안감을 덜어내라고.

삶의 숙제를 이뤄낼 수 있도록 응원해줄 거라고.

또, 필요할 때 도움의 손길을 보내줄 것이라고.

그리고 사명을 꼭 완수하길 바란다고 말했다.

그리고 마지막으로 마치 암시하듯 말했다.

지금은 삶이 무의미하게보이고 혼란할지라도 이 곤란한 시간 뒤에, 이 시간을 무사히 통과한 뒤에 산꼭대기에 올라 다른 시야로 세상을 바라볼 때가 있을 거라고. 그렇게 편지를 끝맺었다.

그러나 편지를 접고 나서 나는 다시 고민에 빠졌다.

내게 주어진 특별한 인생의 숙제는 도대체 무엇일까?

나의 사명은?

2022.08.05

<희망>

희망고문이라는 말이 있지만 어쩔 수 없다.

희망이 없으면 살 수가 없으니 말이다.

불행이 아무 소리도 아무 이유도 없이 왔듯이 희망도 어느날 갑자기 그렇게 나를 찾아오지 않을까 하며 근거 없는 기대를 걸어보는 것이다.

어쩌면 나는 살기 위해서 희망을 만들어내야만 했던가 보다.

그렇게 아주 오랜시간이 지났음에도 희망은 아직도 나를 찾아오지 않았다. 그럼에도 나는 아직 희망을 버리지 못하는데..

혹시 나와 희망은 죽는 날까지 끝내 만나지 못하는 사이인 건 아닐까? 희망은 결코 내 앞에 나타날 생각이 없는데 나 혼자 희망을 짝사랑하는 건 아닐까.

가끔 이성적으로 현실적으로 생각해 본다.

내게 희망이 찾아온다는 건 결코 이루어질 수 없는 일이 아닐까.

엎어졌다가도 늘 다시 일어서며 희망을 품곤 하지만 그것은 그저 나 혼자 하는 끝없는 순환은 아닐까.

만약 내가 재능도 재주도 능력도 있다면 벌써 희망이란 것이 나를 찾아왔을텐데.

나의 가능성으로 스스로 기회를 포착하거나 만들어낼 수도 있었을 텐데. 희망의 모습을 뚜렷하게 감지할 수 있었을텐데.

그런 생각을 하면 실의에 빠진다.

망상을 하는 습관이 있었다. 현실에 망상을 덧대어 본다.

있는 그대로 보는 것이 아니라 내가 보고 싶은 대로 보고 생각하고 싶은 대로 생각하면 즐겁긴 하다. 그런 망상이 현실을 견디게 해줬지만 그런 식으로 나는 언제까지나 현실을 바라보기를 거부해 온 건 아닌가.

이제는 진정한 희망을 품고 싶다는 생각을 해본다

헛된 희망이 아닌 근거 있는 희망.

그러기 위해선 현실을 부정하지 말고, 현실을 바로 본 후 이 현실이라는 바탕 위에서 가능성 있는 희망을 찾아내는 노력을 해야하지 않을까.. 그래야 내 손으로 운명을 바꿀 수 있지 않을까.

생각은 그렇게 하지만 지금 내가 무얼 할

수 있을까. 내가 할수있는게 있다면 지금껏 이렇게 진흙탕에 오래 있었을까.

어쩌면 그 희망은 지금 내가 생각하는 것들이 아닐지 모른다.
어떤 모습인지 지금의 나는 알수가 없지. 어쩌면 예상치 못한 뜻밖의 모습일지 모른다. 그 희망을 기다린다.
내가 할 일은 나의 생활을 꾸준히 하며 주의깊게 기다리는 것이다.
막연하더라도 희망을 꿈꾼다.
똑똑... 반가운 그 손님이 언제 노크할지 모른다.

2022.08.22
<각자의 고유한 세계>

타인을 안다면 얼마나 알 수 있을까요?
누구도 타인을 완전히 알 수는 없다는 것이 내가 깨달은 진실입이다. 타인을 안다고 말을 하여도 그것은 피상적일뿐 결코 그 깊이를 알지는 못합니다.
한 사람의 세계는 그리 간단하지 않습니다.

보이는 세계에서 우리는 서로 관계를 맺고 어울리고 또 갈등도 하죠. 그러나 그 세계 외에 각자에게는 자신만의 고유한 세계가 있습니다. 타인은 모르는, 자신만의 고유한 세계.
우리는 보이지 않는 서로의 그 세계에 예의를 갖춰야하고
누구나 그 세계 안에서만은 깊이 휴식할 수 있어야 합니다.

보이지 않는다고, 혹은 안다고 짐작해서 함부로 타인의 그 영역을 침범하고 깨뜨려서는 안 됩니다.
그 사람은 하나의 우주이고 자신의 세계 안에서 나름대로의 질서에 따라 살고있기 때문입니다.
그 사람 고유의 공간을 침범하면 그 사람은 어디서 숨을 쉴까요
그 사람의 세계를 존중하고 지켜주세요.
당신이 당신의 세계를 존중받고 싶음과 마찬가지로.

어떤 사람이 있습니다. 그 사람은 당신과 달라보일지 모릅니다.
헛점이나 약점이 보이고 쉽게 대해도 될거 같습니다.
그래도 될까하는 생각 애써 누르고 남들도 다 그러는데 어때 하고 끝끝내 합리화하며 심술궂은 욕망을 충족시키지 않습니까
그렇게 타인의 세계를 깨뜨리는 것이 타인의 영혼을 침범한 것이 될 수 있습니다.

타인을 안다고 함부로 판단하지 말며 당신이 모르는 그 사람의 고유한 세계에 대해 부디 예의를 갖춰주세요.

비록 당신의 이해에 닿지 않고 당신의 사고의 틀 안에 맞지 않는 사람일지라도. 그 사람은 보통사람과 다른 조건을 갖고 있을수 있습니다.
그렇지만 우리는 서로의 다름에 대해 이해해보려 해야하고 이해를 못할지라도 적어도 예의는 지켜야 하는 것입니다. 우리는 다르지만 또 같은 인간이니까요.

2022.09.28

<나의 인생 명예의 전당 1위 음식>

코로나 걸린 탓에 컨디션이 안 좋고 기력이 많이 쇠했다.

그뿐 아니라 입맛이 많이 없어졌다.

내가 좋아하는 콩나물도, 소고기국밥도 무슨 맛으로 먹는지 모르겠다. 그래도 기력을 회복해야하니 몇 숟갈 더 억지로 떠먹어본다.

코로나 걸린지 2주, 첫 1주가 끝나고 격리기간도 끝났는데 입맛은 좀체로 돌아올 줄을 모르고 있다.

뭐가 먹고 싶어 샀다가도 막상 음식을 앞에 두면 맛이 없다.

샌드위치두, 과자두, 좋아하던 반찬들도.

통 낫지 않고 질질 끄는 기침만 식탁에서 콜록콜록 해대다 일어나 버린다.

많은 음식에 실패했지만 웬지 실패 안할 것만 같은 음식이 하나 떠오른다.

아아, 내가 종종 그리워하던 추억 속의 음식.

내 인생 명예의 전당 1위에 등극해있는 음식. 그것은. 그것은?

살면서 대단한 음식 먹어본 적은 없다.

사회생활 못해본 부적격자라 맛있는 음식 찾아다니며 먹지 못해서. 내가 좋아하는 음식은 핏자, 아구찜, 짬뽕. 뭐 그정도 밖에 없다.

그런 내게 명예의 전당 1위의 음식이란?

별것 아니면서 너무 별것 아닌 음식이다.

바로 중학생 시절 먹었던, 매점의 우동과 비빔이다.

하, 지금도 생각하면 입에 군침에 살짝 돌고 그리운 맛이 시간을 거슬러 풍겨오는 것 같다.

너무 좋아했다. 학교 매점에서 팔던 우동과 비빔.

점심을 못 싸온 애들이 사먹으라고 팔았을 테지만 나는 점심 때뿐아니라 쉬는 시간마다 달려가 3분안에 한 그릇을 뚝딱 해치우고 교실로 복귀하곤 했다.

그 맛이 얼마나 좋았는지, 왜 그리 그 음식이 맛있었는지 지금도 모르겠다.

친구와 함께도 달려갔지만 혼자라도 날쌘돌이처럼 달려가서 우동하나요 하며, 금방 만들어내는 한 그릇을 후딱 먹어치우곤 입을 쓱 닦고 다음 수업 맞춰 교실로 뛰어가곤 했다.

입안에서 매운 비빔의 뒷맛이 빨리 지워지지 않고 남아 있어도 그것까지 좋았다.

그때도 아마 알았던 것 같다. 이 맛은 내 평생 그리워할 맛이라는 것을. 그래서 그렇게 고집스럽게 먹어댔던 것이리라. 행복해하며. 비싸지도 않는 한 그릇이었다. 한 그릇에 300원. 곱빼기는 500원정도. 사실은 확실히 기억나지 않는다. 내 기억의 오류일지도 모른다. 설마 그렇게 쌌을까? 지금 생각하면 의심이 들기 때문이다.

그래도 그 정도 했던 것 같기도 하다.

그 시절 후로도 그때의 우동과 비빔을 생각하면 자동으로 입안에 침이 돌곤 했다.

그 시절을 정말로 나는 오래 그리워했다.

그리고 한참을 잊고 있었는데 지금 이순간 그 우동과 비빔이 못견디게 그리워오는 것이다.

코로나로 입맛이 사라졌든 말든 그거 한 그릇 지금 있다면 얼마든지 뚝딱 해치울 수 있을 것만 같다.

매콤한 면발을 입에 넣자마자 마음가득

행복이 뿜뿜 올라오겠지.
머릿속에서 엔돌핀이 반짝 돌겠지. 그때 그랬던 것처럼.
물론 양이 많지 않으니 그때처럼 우동 한 그릇 비빔 한 그릇 해서 2그릇 비우는데도 몇분 걸리지도 않겠지.

지금 타임머신이 내 앞에 있다면 얼마나 좋을까.
당장 그 시절로 가서는 그 낡고 좁은 매점에 뛰어가서 할머니 우동하나 비빔하나요 주문하고는 후딱 바로 나오는 그 두 그릇을 들고 한구석 식탁에 가서 젓가락으로 후루룩 후루룩 먹어치우고 싶다.
소화가 되는지 안되는지 기다리지도 않고 바로바로 목구멍으로 넘기던 그 시절 방식 그대로.
미치게 그리운 그 우동과 비빔.
실제 그 맛이 어떻든, 어쩌면 그 시절 입맛의 오류로 그렇게 맛있게 느껴진 것인지도 모르지만 언제까지나 내 인생에서 명예의 전당 1위로 올라있을 것이다.
막강한 음식이다. 그 무엇도 범접할 수 없는 음식이다.
그 이유는 그 시절은 내가 가장 행복했던 시간이고 그 시절을 떠올리면 함께했던 친구들의 모습이 떠오르고 날쌘돌이같이 바람을 가르며 매점으로 뛰어가서 한그릇을 후딱 먹어치우던 건강하던 내 모습이 떠오르기 때문이다.
아, 그립다. 정말 그립다

2022.10.30
<그곳에 닿고 싶다>

나의 삶은 너무나 복잡하게 얽혀있고..
내 삶은 그것들을 하나하나 풀도록 노력하는 과정이 아닌가 싶을 때가 있다.
그렇게 푸는 과정은 결국 진리를 찾는 과정이고 진리가 나타나면 그때 모든 삶의 문제는 소멸할까.
나의 삶은 어쩌면 진리를 찾기 위해 주어진 인생이 아닐까.
어쨌거나 그곳에 닿을 수만 있다면.
그러나 나의 삶을 바라보면 마치 온통 엉켜 도저히 풀 수 없는 실타래를 바라보는 듯 답답해진다
지금의 나는 도대체 사는 방법을 모르겠어요.
이 어렵고 복잡한 인생을 살아갈 방법을 모르겠어요
어떻게 이 인생을 풀지, 어떻게 하면 이 곤란에서 빠져나올 수 있는지 어쩌면 길이 있을 것만 같은데
조금만 방향을 틀면 길이 보일것만 같은데, 조금만 손에 쥔걸 내려놓으면 새로운 존재가 될수 있을 것만 같은데
무지로 인해 아직도 이렇게 헤매고 있어요
그저 인내하고 노력하며 나아가고 있어요
하지만 때로 내가 걷는 길이 방향을 잘 잡은 것인지 모르겠어요
흐름에 맡기자, 하면서도 때때로 불안해져요.
열심히 실타래를 풀고 있지만 도리어 더 꼬인 느낌이 들때도 있어요.
언제쯤 그곳으로 건너갈 수 있을까요
진정 마음의 고통과 얽매임 없는 곳. 자유로운 곳.
놀라거나 두렵거나 혼란스럽지 않는 곳.
안정되고 평화로운 곳.

지금의 나를 괴롭히는 것들이 모두 그곳에선 소멸하는 곳.
여기서 힘껏 멀리뛰기 한번만 하면 그곳으로 건너갈 수 있을 것만 같은데
그런데 그걸 어떻게 하는지
그곳으로 어떻게 건너가는지

2022.11.21
<희망>

희망은 문득 눈에 보이는 것
울창한 나무들 사이로 보이는 햇살처럼 살며시 스며들어서는
그 작은 빛으로 어떤 어둠이든 몰아내는 것
어느 순간에 이미 빽빽한 나뭇잎 사이로 들어와 있는 것
나는 멈춰서서 그 조그만 틈으로 들어온 그 작은 빛이 찬란하게 퍼져나가는 모습을 놀라서 지켜보았다.
단 한줄기 빛으로 그 짙은 어둠을 몰아내는 반전을 나는 마치 계시를 받은 듯 지켜보았다.
어느새 그 빛은 내안으로 옮겨와 퍼져나갔고, 나는 그 빛을 느끼며 가만히 서 있었다.
그리고 빛을 향해 고개 돌리는 내 안의 본능을
어디에도 희망이 들어올 수 있는 조그만 틈이 있다는 사실을
나는 갑자기 알았다.
그 한줄기 빛이 지나가는 곳마다 어둠을 밝히는 환희에 따라
내 가슴도 환희로 물들어 갔다.

2022.12.12
<확고한 걸음>

확신을 가지고 나의 길을 걷고 싶다.
흐느적흐느적 되는 대로 걸으며 이리저리 돌아보고 주저하고
또는 뒤돌아보고 멈춰서서 포기하려하고
이 여행을 그만하고 싶다고 투정하는 식으로
내가 할 수 없는 선택지는 이제 버리고
도움이 안 되는 괴로움에 나 스스로를 몰아붙이는 것도 이제는 그만하고
이제쯤 확신을 갖고 나의 길을 걷고 싶은 것이다.
목표지점을 분명히 바라보고 그것을 향해
굳은 의지로, 확고한 발걸음으로
나의 길을 알아서, 내가 가야할 길을 알아서, 남과 비교하지 않고
나만의 인생길을, 나름의 인생길을 힘차게 걷고 싶다.
이제는 그러고 싶다.
나약한 나를 체감하는 의욕상실의 날들을 뒤로하고 이제는 이제는 신념을 용기를 확신을 갖고 나아가고 싶다.

<혼란>

지금껏 나의 걸음이 확고하지 못했던 것은 혼란 때문이겠지.
확고하게 걷기위해서는 자신감과 함께 뭔가를 알고 있다는, 그래서 흔들리지 않으리라는 결심이 지켜져야 하는데 지금의 나는 혼란이라는 장애를 너무 자주 만나기에 매 걸음걸음마다 멈춰설 수밖에 없다.

매번 확고한 결심으로 내딛은 걸음이 곧 바로 흔들려버리고 주저앉게되는.

<그곳에 이르면>

그럴수록 더욱 그곳에 이르고 싶다.
혼란도 없고 분명하고 안정적인 그 경지.
진리를 깨달아 더 이상 내 안에 두려움과 불안이 없다.
나름의 지혜가 있다.
마음이 편안하다.
모든 고통이 사라진다.
더는 흔들리지 않는다.
나는 진리를 잡고있기 때문에.
삶의 의미와 의욕이 있다.
세상과 부딪히지 않는다.
삶이 부담스럽지 않고 가볍다.
언제 어디서나 나일 수 있다.
당당히 나의 법칙에 따라서 산다.

2022.12.18
<어지러워짐에 대해>

이제 조금 나아지나 싶다가도 또 한번씩 마음을 어지럽히는 일은 일어난다. 혼란과 안정을 왔다갔다 하던 마음이 전에는 혼란 쪽으로 많이 기울었다면 이제 차츰 안정 쪽으로 무게중심이 기울어지고 있었던 것이다, 다행히. 어떤 요인으로 인한 건지 모르겠지만 전보다는 마음조절이 잘된다고 느껴지고 마음이 안정적이라고 느끼는 시간이 늘어났다.

그렇게 조금씩 마음을 편히 가지려할 때쯤 또 한번씩 마음이 어지러워지는 일이 일어나면, 준비가 되어있지 않아 당황하고 만다. 다시 세상에 발목 잡힌 기분.

새삼스레 돌아보면 참 어려운 길을 여기까지 왔다.
이제 조금씩 길을 찾아가는 듯하고 조금씩 길이 완만해지려나 싶어 마음이 조금은 편안해지고 긴장도 조금 풀며 지냈는데,.
'그래, 내 인생 그렇게 쉬운 인생 아니었지' 하며 다시 한번 바짝 긴장해본다.

그리고 되도록 빨리 마음을 수습해 평정으로 돌아가는 노력을 한다.
많은 갈등과 괴로움에도 마음을 다시 평화롭게 되돌리는 것을.
나 자신을 믿고 생각을 놓아버리고 편안해지는 것을.
잘되지 않아도 꾸준히 연습한다.

어지러워짐. 그것은 애써 잡았던 균형과 중심이 흔들리는 것이다.
외부의 불유쾌한 이물질들이 마음 속으로 침투하여 가라앉아있던 마음이 당황하고 혼돈을 느껴서 동요를 일으키는 것이다. 머릿속은 온통 진흙 범벅이 되고, 그런 마음을 다시 평화롭게 되돌리고 싶다. 이미 내게 들어온 그 혼란을 규명하기위해 열심히 탐구도 하지만 대부분 그 혼란을 풀지 못한다.
출구가 없는 혼란은 내 머리 속을 부유하며 절망과 답답함, 두통을 낳는다. 그런 시간들이 힘들다. 분출되지 못하는 화와 답답함과 마주하는 시간들. 마음을 다스릴 줄 알면 잘 대응할 수 있을텐데, 하고 아쉬운 마음이 든다. 수행을 더 열심히 해야지 생각한다.
그러면서 마음을 평화롭게 다스리는 노력

을 계속한다.

어느 정도 시간이 간 후에야 어지러움을 보낼 수 있다.
스스로를 설득할 수 있게 되는 것이다.
계속 생각해봐야 소용없다고.
더는 나를 잃고 싶지 않다고.
무가치한 데 시간 쓰고 싶지 않다고.
지나가는 것은 지나가게 하고 싶다.
결국은 그렇게 어렵사리 중심을 잡아 원래 있던 곳으로 돌아온다. 다시 마음이 조금은 편안해진다.
아무것도 해결되지 않지만 이 외에는 별로 할 수 있는 게 없다.

그렇게 어지러움이 지나간 자리에 서서 생각한다.
이번에도 많은 시간 혼란에게 내어주지 않아 다행이라고.
다시 이렇게 거리를 두고 바라보게 되어 다행이라고.
가던 길 계속 가면 되는 거라고.
그래도 조금씩 나아지고 있다고 믿는다.
무게중심이 조금씩 안정 쪽으로 옮겨지고 있을거라고.

2023.02.09
<불리한 삶을 견디는 이에게>

나는 때때로 불공평하다는 생각을 지울 수 없다.
다른 사람들은 다 좋은 세상 만끽하며 살아가는데
왜 나는 이토록 좁은 영역에서
불리한 삶의 조건을 감당해야 하는지.
감옥에 갇힌 듯한 질 낮은 삶을.
전생에 죄를 지었을까.
그저 이런 삶을 타고난 걸까.
아니면 노력이 부족하면서 이런 헛소릴하는 걸까

구석진 세상 한켠에 홀로 서서
가슴이 터져버릴 것 같은 생의 괴로움과 외로움
시지프스처럼 끝날 것 같지 않는 삶의 투쟁에 지침
내 한몸 설 자리 찾지 못한 두리번거림
두서없는 한탄을 늘어놓는다.

당신도 나름의 엄혹한 세월을 견디고 있는가
하지만 나는 이 시간이 다라고 생각하지 않는다.
지금의 이 고통이 진주를 탄생시키는 과정일지 모르잖은가.
지금은 힘들더라도 언젠가 당신의 날개를 펼칠 날이 오리라.
긴터널 끝에 조그만 빛의 흔적 발견하는 날이 오리라.
나는 그렇게 믿는다.
그 시간동안 부디 인내심을 가지라.
언젠가는 당신이 생각지도 못한 땅에 닿으리라. 그곳은 평화롭고 안온한 곳일 것이다. 그곳에서는 지금의 괴로움과 갈등이 소멸하고 더는 세상이 불공평하다고 느끼지 않을 것이다. 그곳에선 당신의 두 날개로 마음껏 날개칠 수 있을 것이다. 그것을 믿자.

당신은 지금 다만 불리한 시간을 살고 있을 뿐이다.

지금 당장으로 당신의 가치를 판단하지 마라.

당신은 당신의 가치를 알아주는 사람을 아직 만나지 못한 것이고 그런 시간을 아직 만나지 못한 것이다.

당신의 날개를 펼칠 날은 반드시 오리라.

그러니 당신의 가치를 모르는 이들은 무시하고

험난한 세월동안 부디 당신의 가치를 잃지 말라

세상이 몰라줘도 당신은 당신의 가치를 알고 있으라.

지금의 당신이 다가 아니다. 당신 안에는 당신이 알지 못하는 당신이 있다. 그 당신을 믿고 그 당신을 알아가라. 언젠가 그 존재가 될 것이다. 흔들림 없이 새로운 존재로 굳건히 서 있을 수 있을 것이다

도무지 이해할 수 없는 고통을 견디고 있는가?

지금은 이 고통을 이해할 수 없고 삶도 무의미하게만 보이겠지만 신의 섭리는 나중에야 알게되는 것 아닐까.

부디 신념을 갖고 이 시간을 성실히 보내자.

지금 당신은 무엇보다 확신 없는 삶을 살아가기가 힘이 드는가.

지지해주는 이도 없고 때로 스스로의 존재를 부정하며 외로운 싸움을 하고 있는가?

부디 자신을 믿어라. 당신은 잘하고 있고 앞으로도 잘 될 것이라는 것을 기억하길 바란다.

2023.02.17

<환기하기>

마음의 무게가 나를 짓누를 때
세상이 사방에서 나를 압박해올 때
너는 세상에 맞지 않아,
너를 받아들일 수 없어. 라고
세상이 나를 부정할 때
잘 살아보려는 나의 노력들이
또다시 헛되이 끝날 때
신이 내게 무기력한 존재라는 걸 일깨울 때
그럴 때,
할 수 있는 일이 없다.

그럴 때면 나는
그저 바람이 부는 쪽으로 고개를 돌리고
잠시 얼굴에 바람을 맞는다.
그러면 바람이 일깨워준다.
무의미한 것들은 내게 맡겨
내가 멀리 날려 보내버릴께.
아픈 것들은 다 털어놔.
내가 너를 어루만져 줄께.
지금은 도무지 감당할 수 없는 것들
아무 생각말고 그냥 내던져버려
지금은 니가 할 수 있는게 없더라도
언젠가 새로운 날이 올거라고 믿어.
다만 마음이 아플 때마다
바람에 날려 보내고
너는 자유로워져.
내가 너의 뺨을 어루만져줄테니.
방안에 답답한 공기가 가득차게 내버려두지마
창을 활짝 열고 호흡을 새롭게 해.
너를 구속하는 것들 모두 날려버리고

그냥 바람을 맞아.
그렇게..

2023.02.20
<벽>

무척 지친 모습으로 앉아있는 사람의 모습에 다가가서 말을 걸어보았다. 그러자 그 사람은 깊은 한숨을 내쉬더니 자신의 인생에 있는 벽 때문이라고 말했다. 무슨 벽이냐고 하자 자신의 인생에 있는 숙명같은 감옥이라고 했다. 듣고 싶다는 뜻으로 옆에 있는 자리에 앉자 그는 한숨을 쉬며 말을 시작했다.

<저 벽을 없애고 시원한 바람을 맞고 싶어요. 따뜻한 햇살을 살갈에 받으면 얼마나 좋을까요. 벽으로 인해 이제는 제게 허용되지 않는 바람이에요. 사람들에겐 모두 허용된 것이 저에게는 허용되지 않네요. 저는 숨이 막혀요. 가슴을 활짝 열고 탁 트인 곳에서 숨쉬어보길 얼마나 바라는지 몰라요.>

벽이 가로막혀서 답답하다는 것이죠? 그 벽이 어떤 것인데요? 언제부터 생긴거죠?

<(한숨) 글쎄요. 저도 혼란스러워요. 달리 벽이라고 밖에 표현할수 없는 것이 내 인생에 있어요. 언제부턴가 그 벽으로 인해 세상과 올바른 소통이 안되고 모든 것이 왜곡되기 시작했죠.
그런 왜곡과 소통되지 않음으로 인해 벽을 더욱 뚜렷하게 감지하기 시작했지만 할 수 있는 게 아무것도 없네요.. 구체적으로 그 벽을 규명할 수도 없어요. 그런 답답함까지 더해져 벽이 더 커져만 가요.>

저는 벽에 대해선 잘 모르겠는데요. 하여튼 벽으로 인해 문제가 생긴다는 것이죠. 어떤 문제들이 생기죠?

<그러니까 의사소통이 잘 되지 않는다는 거죠. 세상과 제 사이에 벽이 있어서 제 마음은 다른 사람들에게로 원활히 흐르지 못하고 언제나 왜곡되고 비틀어져요. 그것으로 인해 삶에 온갖 트러블이 생겨요.
그래요, 사람들은 벽 같은 걸 모르기 때문에, 내가 벽 때문에 얼마나 답답한지 모르기 때문에 저를 힘들게 할 수 있는 거겠죠.
누구도 저를 진정으로 이해 못하는 것이 가슴 아파요.>

상처를 많이 받으시나보군요.

<(한숨) 그럼요, 사람들은 아무 생각없이 내게 고통을 주고 자신들의 행동에는 무관심하죠. 왜 그런지 모르겠어요. 저는 깊은 고립감을 느끼고 있어요.>

어떤 상처를 받으시나요. 상처를 표현하거나 갈등을 풀려는 노력은 해봤나요.

<내가 벽을 가지고 있기 때문일까요. 무엇보다 나를 다른 존재라고 생각하는 거 같아요. 무배려, 무례... 단순하게 상처를 주고 상처를 주는 것에 대해 의식하지도 못해요. 나한테는 그래도 된다고 생각하는 걸까요. 그런 인식이 저는 정말 힘이 들어요.
쉽게쉽게 상처를 주고 자신들의 행동에 무관심한 사람들, 나를 고립시키고 구석으로

몰아가는 사람들, 그들로 인해 저는 삶이 온통 혼란스럽습니다. 갈등? 풀고싶죠. 풀고싶지만 너무 거대한 벽이라서 제 자신이 미약할 뿐이죠>

벽으로 인해 사람들이 당신의 고통을 이해못하는 건 아닐까요. 그러니 사람들을 비난할 수는 없지 않나요

<그렇겠죠. 벽으로 인해 트러블이 생기는 것이니까요. 하지만 그렇다고 저를 힘들게 하는 사람들을 다 이해할 수 있는 건 아니에요. 저는 정말 왜 그러는지 모르겠으니까요. >

한번이라도 그 벽을 부수거나 치워버리는 시도는 해보셨나요

<글쎄요. 아직은 방법을 모르겠어요. 벽은 아주 단단하고 견고하게 느껴질 뿐이에요. 그 벽으로 인해 절망과 무기력, 고립감을 느껴요. 숙명으로 받아들이고 있지만 그래도 이 삶을 받아들이기 힘이 드네요.

때로는 너무 화가나서 저 벽을 발로 차보고 싶기도 하죠. 하지만 그래봤자 우스운 꼴밖에 안되겠죠. >

벽을 정말 저주하고 싶겠네요.

<벽도 벽이지만 (한숨) 제가 상처받는 건 벽 자체라기보다 사람들이죠. 벽은 다만 숙명으로 받아들이지만 저는 사람들을 이해할 수 없어요. 나는 아무 생각도 감정도 없는 듯 단순하게 대하는 사람들을요.

세상은 그렇게 삭막한 곳이던가요?

아, 벽으로 인한 이 온갖 번뇌와 갈등... 설명할 수도 없어요>

마지막으로 할 말이 있나요

<제 나름의 인생을 잘 꾸려나가고 싶지만 벽이 거대한 장애물로 존재해서 도무지 나아가지 못할 것 같을 때가 많아요. 만만찮은 인생이지만 언젠가 저 벽을 넘고 싶어요. 출구는 반드시 있다고 하더군요. 그렇게 믿고 싶어요. 지금은 출구가 보이지 않는다고 미래까지 그 문을 닫아놓고 싶지는 않아요.

그리고 반드시 극복해서 저의 사명을 다하고 싶어요.

아무데도 말하지 못하던 것을 털어놓았더니 후련하네요. 얘기 들어주어 고맙습니다.>

2023.02.28

<이제 나는 압니다>

문제를 해결하기 위해 많은 생각을 해야 할 것 같지만

오히려 마음을 비울 때 편안하고 그 안에서 영감이 떠오른다는 것을 이제 나는 압니다.

무엇을 해도 타인에게 나를 온전히 이해시키지는 못하므로

타인에게 어떤 인식이든 기대하지 않아야 한다는 것을 압니다.

나는 그저 나일뿐이고 자의식을 가지면 자유롭지 못하다는 것을

그저 스스로에게 진실하게 살면 된다는 것을

이제 나는 압니다.

흐르는 강물처럼 무엇이든 마음에 담지 않고 흘러가게 내버려두면 마음이 편안하다는 것을.

모든 것은 변하니 무상한 것에 집착하지 말아야한다는 걸.

무엇이든 정해진 것은 없다는 걸

굳어버리지 않아야한다는 걸

그릇안의 물처럼 자유자재로 움직이며 맞춰가면 된다는 걸

알게되었습니다.

겉으로 보이는 것이 다가 아니니 속지 말아야한다는 걸

그리고, 감정은 이성보다 먼저여서 언제나 다루기 어렵지만

이런저런 감정들을 억지로 조절하려 애쓰기보다

스스로를 이해하고 인정해줘야 한다는 것을 나는 알게 되었습니다.

때로는 마음과 거리를 두고 가만히 들여다보아야 한다는 것을.

마음을 이해할수록 마음의 주인이 되고 자유롭다는 것을.

나의 마음의 힘은 억지로 되는 것이 아니라 부드럽고 여릴수록 강하다는 것을.

무엇보다 내 안의 흐트러짐 없는 평화를 유지하는 것이 제일이라는 것을 알게 되었습니다.

기쁨의 파도를 타기보다는 굴곡 없는 마음의 평화가 더 추구할만하다는 것.

그런 것을 나는 알게 되었습니다.

우울에 빠져있을 때는 주로 고여 있어서라는 것을.

고여 있지 말고 행동해야 한다는 것을

내가 갈 길을 스스로 내야한다는 것을.

거기서 성취를 느끼고 마음이 살아난다는 것을 알게 되었습니다.

나는 아직 멀었지만 오랜 고뇌의 시간과 아픔을 거쳐서 진정한 인간은 완성된다는 것을.

그런 것을 나는 알게 되었습니다.

2023.03.08

<나의 마라>

나의 수행에 가장 방해가 되는 것은 나의 연약한 마음.

나의 거친 삶을 감당하기에는 너무나 여리고 약한 나의 마음.

마음의 평정 유지하기에 이제는 많이 익숙해졌다고, 이제 나는 스스로 평화를 유지할 수 있을 것 같다, 라고 생각했는데

또 다시 무참히 평화가 깨어져 혼란스러워하고 있는 나의 마음.

그리하여 또다시 그 복잡한 감정의 그물망에 걸려버린.

그것이 나의 고뇌, 나의 번뇌.

분명히 이성적으로 중심을 다 잡은 줄 알았는데요.

마음 쓸 것 없다, 의식할 것 없다, 그런 것도 다 알고 있는데.

겪을 만큼 겪고 충분히 경험했는데... 이제는 피해갈 수 있을 거라 생각했는데 나는 아직까지도 이러고 있네요.

오랜 노력과 경험들이 무색하게도 또다시 나는 그 복잡한 감정의 그물망에 걸려버렸습니다.

한번 걸려버리면 빠져나오기 쉽지 않은, 출구를 쉽게 찾을 수 없는 그 그물망에.

그래서 그, 길도 없고 끝도 없는 그물망 안에서 헤매면서 번뇌하고 괴로워하고 있

는...

아 괴로워. 그 안에서의 번뇌, 갈등, 고통, 설명할 수 없는 온갖 감정들, 나는 이것을 영원히 극복할 수 없을 것이라는 낙담.

그러나 그것에 걸리는 것이 피할 수 없는 일이었다면, 이제 내가 할 수 있는 건 조금이나마 빨리 빠져나오는 것.

더는 깊이 들어가지 않는 것.

그러나 무리하게 노력하지 않고 힘들면 힘든 걸 인정한 채 가만히 지켜보기. 거리를 두고 시간을 주기.

그리고 때가 되면 나를 믿고 과감히 그 감정의 늪에서 빠져 나오기.

나는 여기서 걸릴 순 없다. 나아가야한다.

갇혀버리기엔 아까운 더 큰 가능성이 내게 있다.

모든 것이 잘될 거란 믿음으로 빠져나온다.

그것에서 달아나자. 더 멀리 달아날수록, 그것에서 멀어질수록 나는 자유롭다.

지긋지긋한 그것에서 멀리... 날개를 펴고 훨훨

2023.05.15

<한 걸음만 더>

어떨 때는 그 경지가 바로 앞에 있는 것만 같아.

웬지 눈앞의 안개가 걷히고 드디어 실체가 보일 것만 같다는 착각을 하지.

매번 그 앞에서 다시 되돌아 다시 내가 있던 자리로 돌아오기

본래의 나로, 어리석은 습성을 버리지 못하는 나로.

굴레에 갇혀 절망하는 나. 무지와 고통에 방황하며 뱅뱅도는 익숙한 내 자리로.

뭔가를 가지려면 지금 쥐고 있는 것을 놓아야 한다는데 나는 무엇을 움켜쥐고 있어서 무엇을 떨치지 못해서 무엇을 나는 보지 못해서 바로 앞에 있는 것만 같은 그것을 나는 발견하지 못하는 것일까.

어떤 땐 그것이 바로 코앞에 있는 것만 같은데

이 한 단계만 넘으면 웬지 보이는 시야가 달라질 것만 같은데

바로 한 꺼플만 벗기면 무언가 발견할 것만 같은데

살짝만 고개를 돌리면, 평소의 시각에서 조금만 시선을 달리하면 보일 것만 같은데

나도 모르게 습관처럼 쥐고 있는 무엇을 놓기만 하면 그러면 발견할 것만 같은데

조금만 바로 조금만 더 가면 될 것 같은데

그렇게만 하면 나를 조이고 있는 이 무지와 고통으로부터 벗어날 것만 같은데

마음이 편안한곳 깨달음이 있는 곳 고통이 소멸된 곳 그곳에 닿을 것 같은데

혼란하지 않고 어지럽지 않은 곳 평화로운 곳 그곳에 닿을 것만 같은데

나는 그곳에 절실히 닿고 싶어 하는데.

2023.06.23

<내게 글쓰기란>

페이스북에 글을 쓴지 5년 가까이 된다.

글쓰기를 시작한 시기는 내 인생에 다시 힘든 날이 찾아왔을 때부터이고, 눈앞에 보이는 높은 언덕을 마주보며 그 언덕을 넘는데 나는 본능적으로 글쓰기를 함께 해야한

다는 것을 알았던 거 같다.

벌써 5년이나 되었다는 것이, 아득하다. 지나온 시간이라도.

그리고 아직도 힘듦이 진행 중이라는 것이.. 마치 망망대해에 아직도 새까만 바다 한가운데 있는 것 같아서 또다시 아득해진다.

처음에는 그저 말을 하고 싶었다.

마음에 가득한 혼란이라든가 아픔이라든가 그런 것들을 도저히 내 안에 가둬둘 수가 없었다.

아무도 안 봐준다고 해도 유일한 소통의 창에다가 글을 썼다.

아무도 안 봐주는 적도 많았지만 누가 봐주는 경우에는 보다 효과적이었다. 나의 혼란이 소통되면서 조금씩 풀어졌고, 즉각적인 위로를 받기도 했으니.

무엇보다, 세상에는 내 한 몸 있을 곳, 내 한 몸 설 자리조차 마땅찮은데 온라인에서는 글로써 내 세계를 분명하게 창조할 수 있었다.

또한 글을 쓰면서 나의 혼란을 조금 더 분명하게 규명할 수 있었다. 혼란을 규명할 수 없다 해도 쓰는 것만으로 적어도 혼란을 내려놓고 자유로워질 수 있었다.

나를 쓰게한 것은 무엇보다, 종이에 털어놓고 나면 내가 얽매인것들을, 지금 혼란해서 미칠 것같은 것들을 내게서 떼어낼 수 있기 때문인 거 같다. 나의 길을 가는데 방해가 되는 것들, 내 마음을 아프게 하는 것들을 종이에 적으면, 그것들을 내 마음에서 종이로 내려놓으면, 한결 자유로워진 내가 남았다.

그 자유로워진 나로 나는 다시 힘을 내서 한단계 한단계 나아갈 수 있었다. 나의 길을 찾아서.

그래서 나는 혼란스러울 때 마음이 아플 때 자연스레 종이를 앞에 놓고 마음을 글로 옮긴다.

쓸수록 나 자신을 알게 되고 세상을 이해하는 시간을 가질 수 있었다. 세상에 잃을 뻔했던 나를 다시 되찾는 시간이기도 했다.

어지럽고 실타래처럼 엉킨 나의 감정을 조금 더 분명히 아는 일이기도 했고, 그것은 또한 그 순간으로부터 한발 떼어 현실에 대해 보다 선명한 시각을 얻는 일이기도 했다..

때로는 너무 깊이 생각하는 것 같고 이런 생각들이 쓸데없는 것이 아닐까 하는 생각도 든다.

하지만 그것이 나름대로 내가 찾은 나의 마음을 치유하는 방식이었던 거 같다. 마치 학창시절 과학실험실에서 실험을 하듯 나는 나의 감정을 종이에 적어놓고 이러저리 살펴보곤 한다.

그러면서 이해에 이르기 위해. 혼란을 벗기 위해 노력한다.

내가 왜 이렇게 글을 쓰는지 원래부터 이렇게 쓰는 사람인지 모르겠지만, 사람은 다 다른 방식으로 살테니 나는 이런 방식으로 살며 글을 쓸 뿐이다.

종이를 마주보며 마음속의 엉킨 실타래를 풀어놓고 있으면 마음속의 어지러움이 조금씩 풀리고 제자리를 찾아 마음이 후련해진다.

그래서 여태 글쓰기를 멈출 수 없다.

세상은 내게 일방적이고 나는 세상에 당하기만 하는데 나도 할 말을 종이에다가 하는 것이다.

혼란이 다 걷히고 나면 그때는 글쓰고 싶은 마음이 사라질까?

예전보다 혼란이 많이 줄었고, 지금 여기

에 있는 내 모습도 글쓰기 덕이었다는 것을 안다.

아무것도 해결하지 못하는 무능력은 여전하지만 적어도 글쓰기가 조금씩 내 시야를 선명하게 해주었다. 마음을 가볍게 해주었다.

돌아보면 글쓰기 덕에 매번 쓰러졌다가도 다시 일어날 수 있었고 또 내 인생의 길에서 다음 단계를 밟고 성장하게 해주는 디딤돌 역할을 하였던 거 같다.

2023.06.28

<혼란>

복잡하고 어지러운 나의 혼란을 진지하게 대면하고 구체화 하고 싶다. 그런데 잘 안된다. 항상 놓쳐버린다.

그것을 붙잡아서 분명하게 보고 싶은데 추상적으로만 머릿속에 맴돌다가 사라진다.

마치 지난밤에 꾼 꿈이 어렴풋이 기억은 나지만 구체적으로 떠올리려하면 아무리 노력해도 안 되는 것처럼,

분명히 어떤 순간에 급박하고 진지하게 생각을 해봐야겠다고 마음먹었는데 상황이 바뀌면 그것들이 틈새로 새어나가 버리고 머리는 둔해진달까 명해진달까. 무엇을 생각하려 했는지 무엇을 풀어보려했는지 막연한 덩어리로만 남아있는 것이다.

그래도 그것을 풀어보려하면 너무 흐릿해서 잘 그려지지 않고 혹은 너무 꼬여있어서 따라가기 힘들어서 뭐였는지도 모른 채 그냥 놓아줘버린다.

그래도 어렴풋이 아는 건 분명히 내 인생에 대해 진지하게 생각해볼 것이 있다는 것. 내 뜻같지 않은 내 삶에 대해서 뭔가 대책을 세워야한다는 것. 더는 미루지 말아야한다는 것. 그것을 미루고 여전히 무지한 채로 있기 때문에 눈앞의 구덩이에도 자꾸 빠지는 것이니. 이제는 혼란에서 나와 분명한 시야를 가져야할 때.

지금의 내 모습은 마치 그런 것과 비슷하지 아닐까.

군데 군데 적들이 있어 포위된 상태인데 당장은 보이지 않는다고 망각하고 편안히 앉아 공상이나 즐기고 있는.

지금의 나는 너무 안일하게 있는 것은 아닐까. 그럴 때가 아닌데. 비정상적인 지금의 상황을 바꾸기 위해, 더 나은 삶을 위해 뭔가 해야할 것이 있는데. 본질적인 것을 보고 중요한 것을 알아야 하는데. 이제 중심을 잡고 뿌리를 내리는 노력을 해야 할 때인데. 세상에 굳건히 서있도록.

왜 상황이 지나면 생각을 진행시키지 않고 잊어버리는 걸까.

어쩌면 그런 것과 비슷할까. 더위에 시달리다가 상쾌한 바람이 불어오면 지나간 더위는 어느새 잊어버리고 바람이 부는 쪽으로 고개를 돌리는. 그런 것과 비슷하지 않을까.

골치 아픈 일은 굳이 떠올리고 싶지 않고 비정상적인 일들은 일시적이라 여겨 치워버리고 싶으니까.

더위는 잊고 지금 부는 바람을 만끽하고 싶으니까.

2023.06.28(2)

<단계>

훌쩍 멀리뛰기 하고 싶다.

나의 현실의 얽매임, 번뇌가 나를 구속할수록 더욱 멀리 뛰고 싶다. 크게 한번 도약하면 그 경지에 이를 것만 같다. 편안하고 자유로운.

마음만 앞선다. 수행이 쉽지가 아닌데. 아직 나 자신에게 눈에 띄는 변화도 없는데. 느린 스스로에게 아직도 여기야? 얼마나 더 가야해? 묻는다.

마음을 조절하지 못하는 순간이 괴롭다.

세상사에 끄달려 번뇌하고 힘들어하는 순간이.

내 마음인데 내 뜻과 같지 않아 내가 통제하지도 못하는 순간이.

통제밖의 감정에 무작정 끌려가는 순간이.

온통 혼란된 머리를 감싸고 있는 순간이

그럴 때일수록 간절하다. 늘 평화롭고 안정된 그 경지가.

꿈에서는 계단을 오르고 있다.

거의 꼭대기까지 왔는데 맨 위쪽 계단에 발을 올릴 수가 없다.

중심이 안 잡히고 몸이 흔들리고 무슨 이유인지 한 발을 거기 올릴 수가 없다.

지금의 나도 그렇게 한발만 더 올리면 될 것 같은, 한번만 도약하면 될 것 같은 마음이다.

문득 중학생 때 친구랑 사직동에 자전거 타러가 본 기억이 난다.

그때 나는 넘어지고 또 넘어졌다.

그래도 이상한 열망에, 자전거를 꼭 타겠다는 열망에 수십번을 넘어져도 다시 올라탔다. 넘어져도 그걸 즐겼다. 언젠가는 잘 탈수 있다는 기대감이 계속 일어서게 했다.

그런 거 같다. 한 번에 잘 탈수는 없는 거다. 한 단계 도약하는데에 수많은 넘어짐이 필요한 것이다. 그러나 그 넘어짐이, 주변에서 맴도는 시간들이 무의미하지는 않는 것이다.

수많은 넘어짐으로 감을 잡아가는 것일테니까.

그때의 기분이 떠오른다.

마침내 감을 잡아서 바람을 가르며 신나게 자전거 타던 그 순간이. 언젠가는 능숙하게 자전거를 탔던 그날처럼 어느날 부쩍 자라있는 나를 발견하지 않을까.

지금 나를 힘들게 하는 번뇌, 고통, 아픔을 벗고 어느날에 거듭나는 순간이 오겠지.

비록 지금은 계속 좌절감을 맛보고 아무리 노력해도 그대로인 나를 발견하고 있다지만.

내게도 작은 변화는 있다.

조금은 성장했다 싶은 순간이.

그러다간 다시 제자리에 돌아가곤 하지만.

삶에 대한 통찰력이나 지혜같은 것이 생긴 듯 느껴질때도 있다.

작고 소소한 깨달음 같은 것도 왔다가 사라진다.

제멋대로지만 수행을 해갈수록 마음이 조금씩 편해지는 것도 느낀다. 이런 수행을 뗏목삼아 나가면 언젠가 그곳에 다다를까.

언젠가는 올 그 진정한 깨달음을 기다린다.

지금의 나는 넘어져도 다시 일어나 자전

거 페달을 열심히 밟는 바로 그 모습이 아닐까. 언덕위에서 시원한 바람을 맞는 나의 모습을 생각하며 다시금 도전해본다.

2023.08.23

<내 고유의 길>

더는 망설임 없이 걸어가라, 나의 길을.

나의 길을 다른 사람들과 비교하면서 굳이 불편한 마음이 되지 말라.

여기저기 주위를 둘러보며 산만하지 말라.

내게 주어진 삶을 받아들이며 나만의 길을 걸어가라.

결국엔 나도 나의 길의 끝에서 웃을 테니까.

계속 나아가라.

자꾸 멈추면 아무것도 못한다.

내가 믿는 것을 과감히 밀고 나가는 용기를 가지라.

그러기 위해 너무 많은 생각은 하지 말라.

여전히 갈등을 하겠지.

어차피 세상이 내 뜻대로 움직이지만은 않을 테니.

하지만 흘러가는 것들을 흘러가게두고

무의미한것들을 잡으려하지 말라.

흔들리기도 하겠지.

어쩔 수 없이 얽매이고 시달리고 번뇌하는 날이 있겠지.

과연 할수 있을까 의심을 하고

나의 판단이 옳은지에 대해서 의심을 품는 날도 있겠지.

그러면서도 늘, 다시 기운을 내서 일어나려할 것이고.

나는 지금 결심을 해.

나의 길에 장애가 나타날지라도

나는 이제 나의 발걸음을 멈추지 않을 거야.

나의 보물을 찾기 위해 한걸음 한걸음 나아가려 해.

잠시 멈춰서 쉴지라도 완전히 주저앉지는 않을거야.

나는 이제 더는 길을 잃은게 아니야.

나의 길을 분명히 알고있으니까.

앞으로도 그 표지들에 의지해 나아가려 해.

나의 감에 의지해서 나아가기로 해.

그리고 눈앞에 보이는 흐름을 탈거야.

이 흐름을 신뢰하고 이 물결에 몸을 맡기려고 해.

방해가 되는 잔물결들이 여전히 일기는 하겠지만

더 큰 흐름이 있어 그것들을 무시할 수 있을 거야

2023.09.05

<읽고 있는 책>

사람하고도 인연이 있듯 책하고도 인연이 있는 거 같다.

몇 달 전에 산책하다 알게 된 어르신이

공부하라고 책을 줬는데

별로 흥미가 없어서 구석에 던져놓은 책을 이제야 펼쳐보고 있다.

모든 것은 본래마음에서 일어난 무상한 것이라 한다.

이런 말은 언제나 나를 답답하게 한다.

지금 내가 몸으로 체화하기에는 장애가 많기 때문이다.

그 비슷한 말을 오래전부터 들어온 거 같다. 세상은 환상이다. 마음에서 만들어낸 것이다 같은 말들. 오래도록 내가 그 비슷한 말에 갈등을 느껴오고 있다는 걸 알았다.

아무 생각 없이는 그 말을 그대로 받아들이지만 실제로 내 삶의 장애들에 부닥쳐서는 거부감이 드는 것이다.

평소엔 아무 문제없이 그 말을 알아듣는 척 할 수 있지만 내 삶의 거대한 장애들, 내 삶을 혼란시키고 나를 지배하는 것 같은 큰 장애들과 부딪혀서는 그 말들이 거부감이 들고 도무지 나의 이해 안에 들어와지지 않는다.

아무리 해도 마음 평화로울 수 없는 것들, 어떻게 받아들이고 이해할지 모르겠는 것들이 내 삶에 있고 그런 것들이 깨닫고 싶은 욕망과 대치하고 있는 거 같다.

단순히 책을 읽고 그 배움들로 평화로운 마음을 가지려 하다가도 순간순간 내 삶에 그런 날카로운 자극같은 것이 나를 찔러댈 때면 이건 허상일 뿐이야 라고 차마 하지 못하고 마음을 빼앗겨버리고 세상에 압도되어 버린다. 내가 사는 이 고단한 삶이 번뇌 가득하고 내가 통제하지 못하는 삶이 다만 환상이라니. 마음만 잘 먹으면 된다니. 삐딱하게 '그런 말하는 당신들이 나와 같은 삶을 살아도 그런 소리할까'하는 생각까지 든다.

그래도 믿고 싶다. 언젠가 그 말을 체화하고 깨달음을 얻는 순간을 희망한다. 언젠가 그런 날이 올 것이다.

나의 마음의 분별의식은 왜 이다지도 머리 아픈 현상을 창조해냈을까. 내 삶의 이 장애를 어떻게 넘을 수 있을까.

2023.09.30

<기운을 내>

가끔 그렇게 마음의 압박을 많이 받는 날이 있다.

무언가에 쫓기고 쫓기다보면 삶과 죽음의 기로에 서있는 느낌이다. 마치 죽음이 나를 집요하게 쫓아오는데 도망치는 거 같다

삶을 지켜내기 위해 무진 애를 쓰는 거 같다.

내가 통제할 수 없는 상황 속에 놓일 때면 두려움에 떤다.

말도 안 통하고 의사소통도 안되는 그 상황이 나를 집어삼킬 것만 같다. 막다른 곳에 다다라 더는 달아날 곳도 없는데 자꾸만 쫓아와서 어쩔 줄을 모르겠다.

별일 없는 날에도 불안정한 삶의 토대위에 있기에 두려움이 새록새록 올라온다. 가만히 있다 보면 우울함과 고독감도 떠오른다. 그래도 결국 삶을 살아내려 애를 쓴다.

삶을 살아내기가 너무나 고단한데 삶을 살아내야 하기에 너무나 힘이 든다. 감히 놓아버리지 못하니 끝까지 지켜내야 하는 것이다.

막다른 곳에 이르러 생과 사 두가지 기로에 서서 생에 힘들게 집착하며 삶이란 이리 무거운 것이던가 하고 생각한다.

바람같이 살다 가면 좋을 텐데 왜 이렇게 구차하게 살고 있을까 그런 생각을 한다. 이런 삶이 고단하고 피곤하다.

대단한 확신 같은 것으로 사는 것도 아니다. 대단한 자신감도 없다. 그저 살수 밖에 없어서 산다.

그래서 언제나 바라는 것은 신이 나를 조용히 편안히 거둬가주시는 것이다.

평소에는 어느 정도의 확신과 신념으로 삶을 지켜나가고 있지만 그것을 매순간 지키지는 못한다. 특히나 이렇게 압박을 받는 날에는 그런 믿음과 신념조차 흔들리고 아무것에도 의지할 곳이 없다.

나를 구조해줄 사람도 없다. 그런 중에 쫓기고 쫓겨 막다른 벽 앞에 서있는 순간이 힘들다

고단하지만 결국 해야 할 선택은 언제나 하나다.

어쨌든 다시 한번 일어나서 힘을 내서 헤쳐나가는 것.

이 장애와 혼란, 고난을 다시 한번 극복할 노력을 해야하는데,

이 벽같은 세상을 다시 한번 마주할 용기를 내야하는데,

다시 한번 희망을 충전하고 삶의 통제력을 회복하기위한 무언가를 시도해봐야 하는데...

막다른 곳에 선채로 좀처럼 마음을 추스리고 기운을 내기가 정말 힘든 그런 순간들이 종종 찾아온다.

2023.10.12(2)

<견고한 무엇>

흔들리고 아파하는 일을 수없이 반복함으로써 이제는 본능적으로 어떤 경지를 찾고 있다.

나는 그저 세상 속에서 나로 서있고 싶을 뿐인데 매번 세상과 부딪혀 나를 잃고 세상에 휩쓸려버리고 만다. 매번 그렇게 상황을 마음 편하게 대처하지 못하고, 그럴 때마다 타인은 지옥이라고 외쳐댄다. 그러면서 한편 어떻게 하면 세상에 휩쓸리지 않고 안정적으로 서있을 수 있나 하고 고민을 하게 되는 것이다.

어떤 지점이 있을 텐데. 더는 나를 잃지 않고 세상 속에서 편안할 수 있는 지점. 더는 흔들리지 않을 수 있는 지점. 세상과 사람들과 조화할 수 있는 지점.

간절히 중심을 잡고 싶다는 생각을 한다.

어떤 마음가짐이나 믿음 지혜, 그런 것을 갖추고 있으면 세상에 좀 더 유연하게 대처할 수 있을 거라는 생각도 든다..

물론 만만치 않고 일정하지 않은 세상에 다 대비를 하고 살순 없다 해도 적어도 나는 어떤 중심을 잡고 싶은 것이다. 힘들어도 어느정도의 평정을 유지할 수 있고 강하게 버티고 서진 못해도 어느정도 휩쓸리지 않을 정도의 중심.

나의 내면에 평화로울 수 있는 그런 중심을 세워놓으면 세상에 조금은 더 유연하게 대처할 수 있을 것 같다. 세상사에 너무

연연하지 않고 안정적이고 편안할 수 있을 것 같다. 나를 지킬 수 있을 것 같다.

세상 속에서 뒤흔들릴 때마다 흔들리지 않을 수 있는 견고한 그 무엇을 내 손에 꽉 붙잡고 싶다는 생각을 한다.

어떻게 하면 그것을 찾을 수 있을까. 어떻게 하면 그 지점을 만날 수 있을까. 세상과 마찰 없이 조화로울 수 있는.

종종 떨어지고 만다. 안 되는 걸 하는 거 같다는 좌절감, 내 인생에 도무지 답이 없다는 절망감에. 이것이 가장 괴로운 것이다. 그래서 이제 이것만은 피하고 싶은 것이다. 내 안에 중심을 단단히 잡고 있으면 다시는 그런 곳에 떨어지지 않을 것도 같다. 그러기 위해서라도 견고한 그것을 쥐고 싶다.

이제는 그것을 찾아서 확신을 갖고 당당하게, 묵묵히 걷고 싶다.

2023.10 26

<이제는>

이제는 편하게 살고 싶어요

마음 다스리려 노력하고 싶지 않아요

복잡한 생각하는 대신 단순하게 살고 싶어요

흐름을 거스르려 애쓰고 싶지 않아요

이제는 순조로운 흐름을 타고

인연에 내맡긴 채 흘러가고 싶어요

불안과 두려움은 치워두고싶어요

이제는 유연하게 파도타기를 하고 싶어요.

물론 뜻대로 되는 건 아니지만.

이제는 우울하기 싫어요.

다시 절망의 늪 헤매지 않고 싶어요

삶의 여유를 갖고 싶어요

좀 더 단단한 확신으로 무장하고 싶어요.

이젠 조화롭게 삶에 대처하고 싶어요

당당한 모습으로 살고 싶어요

그저 물결에 실려 떠다녔다면

이제는 내가 할 수 있는 일을 찾고 싶어요.

나아지길 막연히 기다렸다면

이제는 스스로 삶을 개척하고 싶어요

지금을 참고 인내하기보다

지금 행복하고 싶어요

삶의 어려움을 지혜로 대응하고 싶어요

이제는 생의 갈등과 괴로움에 빠지기보다

수행에 전념하고 싶어요.

2023.12.30.

<연극무대>

원치 않게 자꾸 세상에 얽매이는 것이 정말 싫다.

지금까지의 내 삶은 그런 얽매임을 벗어나려 애쓰는, 자유를 쟁취하기 위한 외로운 투쟁이었던 것만 같다.

하지만 생각해보면 어쩔 수 없는 것 같다.

우리는 한낱 연극배우들이 아닐까.

우리는 삶이라는 무대에서 꼭두각시처럼 그 연극에 빠져있다.

그런 자신을 알아차린다 해도 우리는 그 연극을 벗어나지 못한다.

살아있는 한 계속해서 세상에 얽매이고 열심히 삶이라는 무대 위에서 연극을 할수밖에 없지 않나.

본래의 사실이 무엇이든 우리는 보이는 대로 받아들이고 보이는 대로 인식하고 보이는 대로 갈등하면서 산다.

타인의 불친절에 상처받고 무지해서 혼란에 빠지고 눈앞의 현실에 사로잡혀 끙끙 고민하고 조그만 일에도, 겨우 조그만 일에도 통제력을 잃곤하지 않나. 아무리 이 연극무대를 벗어나 저 위에서 내려다보고 싶어도 우리는 매일 심각하게 인생이란 연극무대에 빠져 산다. 누가 그런 것에서 자유로울 수 있나.

할 수 있는 것은 세상에 얽매이지 않으려는 힘든 노력이 아니라 얽매이고 갈등하는 자신을 알아차리는 정도가 아닐까.

나 자신 또한 그렇게나 열심히 이 연극무대에서 연기를 하고 있다. 나로 꽤 살아와 이제 내 자신이 조금은 익숙하다. 두려움, 갈등, 외로움에 빠져 힘들어하는 나. 그러다 금방 다시 마음이 느슨해지고 자만심과 자의식에 빠져드는 나. 세상에 시달리며 힘들어하고 앓는 나. 매번 안정이 깨어질 때마다 흔들리고 갈등하는 나.

이제는 그런 감정들이 올 때 그저 알아차리고 '또 왔니? 라고 하려한다. 세상에 무심하려 노력하는 만큼 이제는 그렇게 나 자신에 대해서도 무심하려 한다. 나를 충분히 겪어왔기에.

쓸데없는 생각에 시달리기보다 되도록이면 생각을 안하고 다른 뭔가에 집중하고 있을 때 편안하다는 것을 배웠다.

매일매일 결심을 한다. 모든 것을 개인적으로 받아들이지 말자. 단순하게 넘기자. 의미를 되새기지말자. 무심하자.

연극무대일지언정 조금이나마 이 삶을 잘 살려고 애를 쓴다.

힘들 때마다 매번 흔들리고 복잡한 생각을 할 필요가 없다.

내가 옳다는 것만 기억하면 된다.

니가 틀리고 내가 옳다가 아니다. 예전에는 그렇게 하려했지만 그것은 너무 힘든 작업이었다.

이제는 타인을 틀리게 할 의도가 아니라 너도 옳을 수 있고 나도 옳을 수 있다는 것이다. 내가 옳다는 것만 의심하지 않으면 된다.

힘들 때마다 매번 그것을 의심했기 때문에 그 시간이 더욱 힘들었고 그러느라 많은 시간낭비도 했던 것 같다.

이제는 내가 옳다는 신념을 지켜나가련다.

매번 마음의 갈등 반복할 필요없다.

내가 옳다는 그것만 기억하고 계속해서 나아가자.